AN tOILEÁN A TRÉIGEADH

SEÁN SHEÁIN Í CHEARNAIGH

*An
tOileán
a Tréigeadh*

SÁIRSÉAL AGUS DILL
BAILE ÁTHA CLIATH

An chéad chló 1974
ISBN 0 902563 47 5

CLÁR

1	Beatha an Scoláire	7
2	Ar Chuma an Ghainéid ...	19
3	Lá an Easpaig	25
4	Na Potaí Gliomach	35
5	Cogadh ar Muir	43
6	Culaitheanna Nua	50
7	Domhnaigh Gheimhridh	54
8	Na Dúchrónaigh	60
9	An Chéad Dream san Oileán	64
10	Scéal Phaidí Rua	69
11	Scéal m'Athar Chríonna	74
12	Fear an Tobac	79
13	Na Coastguards	84
14	An Gamall a Tháinig 'on Oileán	89
15	*An Collach Dubh*	95
16	Seanscéalta	99
17	Beirt ón bhFarraige	103
18	Filleadh Fuar	109
19	Captaen ina Chócaire	114
20	Dhá Oíche sa Tiaracht	117

21 Oíche Bhrónach ag Fear Aonarach   126
22 An Nollaig ar an Oileán   131
23 An Fear gan Aird   134
24 An Dole   142
25 Na Stróinséirí   148
26 Turas go Gaillimh   152
27 Oifig an Phoist   161
28 Sochraid Bhláithín ar an Oileán   168
29 Tuar Deireadh Ré   172

1

Beatha an Scoláire

I MEASC NA nÉAN agus na róinte a rugadh mise in oileáinín mara mar a mbíodh radharc ar an ngréin ag éirí agus ag dul fé ann. Bhí plúr na bhfear agus cruithneacht na mban ann. Is mó sin barrachith scaoilte dena ghuailne ag an oileán ón gcéad lá a tháinig muintir Chearnaigh ann. Níl aon dáta le fáil leis.

Bhí ceathrar driothár againne ann agus triúr driféar. Ní raibh aon tslí bheatha ann ach iascach. Iascaire b'ea m'athair agus bean snímh agus tí b'ea mo mháthair.

Is cuimhin liom an chéad lá riamh a thug mo dhrifiúr Máire ar scoil mé. Cóta cabhlach a bhí orm agus geansaí bán. Ní raibh bróg ná stoca orm.

Tomás ó Sábháin agus Bean í Dhuinnléi a bhí mar mhúinteoirí orm. Thug an mháistreás ladar milseán dom an chéad lá. Bhí deabhadh ar scoil an tarna lá orm. Tabhair rud don ngarlach agus tiocfaidh sé amáireach. Ach bhí deireadh ite mar bhí garlaigh nach mise ag faire

7

orthu. Thug an mháistreás leabhar beag dom agus dúirt
sí liom a bheith ag féachaint ar na pictiúirí—gurbh fhearr
dhom iad ná na milseáin. D'osclaíos an leabhar agus ní
fheadar an bó ná asal na pictiúirí mar ní hiad a bhí ag cur
tinnis orm, ach nach milseáin a fuaireas.

Timpeall lár an lae siar dúirt sí liom dul abhaile agus
ainmneacha na n-ainmhithe a bheith agam di amáireach
agus go dtabharfadh sí pingin dom.

Taobh amuigh de dhoras na scoile bhí gamall eile de
leanbh caite sa lathaigh romham agus é ag pusaíl ghoil.

'Cad tá ort, a Phaidí?' arsa mise, 'nó an b'ea bhuail an
mháistreás thú? Má sea téire abhaile agus abair le t'athair
é.'

Bheireas ar láimh air fé mar a dhéanfadh fear áitithe,
cé gur comhaois ab ea sinn agus thugas liom abhaile go
dtí mo thigh féin é.

'Mhuise cad a thug abhaile sibhse, a dhá ghiúrdán,'
arsa mo mháthair, 'nó an b'amhlaidh ná fuil aon scoil
inniu agaibh.'

'Tá,' arsa mise léi, 'ach dúirt an mháistreás liomsa dul
abhaile agus bhí Paidí Ghobnait romham agus é ag pusaíl
ghoil i dtaobh nár thug sí aon mhilseán dó.'

'Cá bhfaigheadh an mháistreás bhocht milseáin?' arsa
mo mháthair. 'Ná fuil fhios agaibh ná fuil siopa ná aon ní
dhá shórt ar an oileán so? B'fhearr dhaoibh a bheith ag
ithe bháirneach ná bheith ag ithe na ndiabhal milseán san.
Ní bheidh fiacail in bhur ndrandal agus ansan caithfidh
sibh fiacla madra a chur isteach.'

Thugas liom abhaile Paidí Ghobnait agus as san amach

bhíodh beirt againn i bpáirtí a chéile. Cé gur minic a
bhaineamar fuil mhairt as a chéile le doirne agus le clocha
bhíomar chomh buíoch dá chéile is a bheadh caora agus
uan. Thugamar seacht mbliana ag an máistreás agus
ansan aistríodh suas go dtí an máistir sinn. Bhíomar sa
tríú rang ansan agus meas ag teacht againn orainn féin fé
mar bheadh ag aon ghearcaigh a bheadh ag caitheamh an
tseanchlúimh díobh.

Bhí céad scoláire ann an uair sin mar bhíodh na daoine
ag pósadh fé mar a thagaidís in aois agus bhíodh muirear
mór ins nach aon tigh. Ní raibh aon chuimhneamh ar na
dúthaí lasmuigh. Daoine a d'imíodh go Meiriceá bhídís
tagtha thar n-ais aríst gan mhoill. Ní raibh na dúthaí
lasmuigh rómhaith an uair sin. Nuair a phriocadh na
'cuileanna thall' daoine rithidís anall aríst go dtí an
mBlascaod mar bhí saol maith an uair sin ar an mBlascaod
agus gan lasmuigh ach an t-ocras.

Bhíos cúig mbliana ar scoil ag Tomás ó Sábháin sara
haistríodh ón mBlascaod é agus ba mheasa iad ná cúig
mbliana fé dhiansclábhaíocht. Mar mhúinteoir cruaidh ab
ea é. Is minic a chaitheadh sé de a chasóg ag tarrac orainn
ach bhíodh a chúis uaireanta aige. Ní rabhamar inár
naoimh ar fad. Bhí baois na hóige ag priocadh orainn
agus fáilte againn roimis an bpriocadh san.

Bhí cábús ag dul leis an scoil, nó 'pruibí,' istigh sa
gharraí taobh thuas d'ár dtighne. Ba linne b'ea an garraí
san. Bhíodh stáca coirce nach aon bhliain againn ann
agus madra mór dubh á fhaire nach aon oíche, mar
bhíodh asail ag imeacht timpeall na dtithe. Bhíodh sé

mar cheard an uair sin leis go dtéadh garsúin agus
gearrchailí 'on chábús gach oíche. Is dócha gur ag
cúirtéireacht ar a chéile a bhídís fé mar is gnách leis an
óige. Buann an nádúr ar an bhfoghlaim. Bhíomar istigh
oíche, mé féin, Cáit, Paidí, Tomás, Mícheál agus mo
dhrifiúr óg Éilísín. Bhí mo dhrifiúr Máire sa chúinne
agus cos thinn aici mar bheir madra uirthi. Bhí an chos
ana-thinn aici agus gan aon chneasú aici á dhéanamh. Cé
go raibh cuid mhór céirthí curtha léi ní raibh an bheart acu
á dhéanamh uirthi.

Bhí mo mháthair sa chúinne eile agus í ag sníomh,
agus glór uaigneach ag toth an torn. I gceann tamaill
sceaimh an madra, agus ag éirí air a bhí.

'Tá na hasail ar an stáca,' arsa mo mháthair, 'agus ní
fhágfaidh siad meil beo de gan ithe mar tá an goimh leis
an ocras orthu ag an ndrochaimsir.' D'éirigh sí ón dtorn
agus bhain sí de an tsreang agus chuaigh sí 'on doras agus
bhí 'Hix, hix,' leis an madra aici.

'Tá sé chomh maith agaibh éirí ós na púiríní,' ar sí
linne, 'agus na hasail a chur amach as an ngarraí nó ní
bheadh léas coirce ar maidin sa stáca agus sin é an uair a
bheidh an seó agaibh nuair a thiocfaidh bhur n-athair ar
maidin ón bhfarraige.'

Arsa Mícheál léi, 'Pé rud a dhéanfaidh na hasail, ní
raghaidh aoinne againne amach anois mar tá na púcaí
amuigh, agus is measa linn iad ná na hasail. Mar is asail
iad san atá ag dul ar phruibí ag ithe choirce lom—agus is
fearr dóibh é ná an coirce atá sa stáca.'

Bhí a fhios againne go maith gur garsúin agus gearrchailí a bhí ann.

D'imigh sí féin amach agus b'sheo léi suas tríd an ngarraí agus an madra ina diaidh agus nach aon sceamh aige. Leanamar amach í agus chuamar i bhfolach taobh an chlaí. Bhí an oíche chomh geal leis an lá, réiltíní ag imeacht de dhroim a chéile le breáthacht na hoíche, agus fochurlúin ag imeacht trí chumaracha an chnoic. I lár an gharraí sea chonaic sí chuichi aniar as an gcábús ráth garsún agus gearrchailí fé mar bheadh ráth forchan lá ceoidh agus nach aon scartadh gáire acu.

'Tá's ag Dia,' ar sí, 'go gcuirfeadsa ullmhú in bhur gcomhairse leis an máistir amáireach agus sin é an fear a bhainfidh an diabhal amach as bhur mbolg.'

'Téire abhaile, a Éilís,' arsa Maidhc Cooney léi, 'agus abair do phaidir, mar tá ciseog mná ag an máistir féin agus níl aon duine ag cur aon chur isteach air mar dá mbeadh níor mhaith an dóithín é.'

Tháinig sí abhaile agus í ag gáirí agus chuaigh sí ag sníomh aríst agus níor tharraing sí anuas i mBéarla ná i nGaelainn na hasail, mar bhí an pictiúir feicthe aici. Nuair a bhí sé ag druidim le ham codlata dúramar an Choróin Mhuire agus chuamar a chodladh agus níor bhraitheamar aon ní nó gur dhúisigh m'athair ar ghealadh an lae sinn. Bhí ana-phian ar Mháire an uair sin agus gan aon leigheas le déanamh di mar bhí an mant a bhí ina colpa ag déanamh braoin. Bhí mo mháthair síos suas an tigh mar a bheadh cearc a mbeadh ubh le breith aici. Cheap sí ná cneasódh an chos go deo, bhí sí an fhaid tinn aici. Ba cheart di bheith cneasaithe, ach ag dul in olcas nach aon lá a bhí sí agus an mant ag leathnú leis amach. Tháinig an tAthair mac Craith go dtí fear breoite lá agus dúirt an Máistir ó Sábháin le mo mháthair gurbh fhearr di an sagart a thabhairt ag féachaint ar chois Mháire agus go mb'fhéidir go ndéanfadh sé rud éigin di. Thug mo mháthair léi an sagart agus nuair a d'fhéach sé ar an gcois, bhain sé Fíor na Croise di agus dúirt sé le mo mháthair go mbeadh sí ag dul i bhfeabhas nach aon lá eile agus gan aon imní a bheith uirthi ina taobh. Is b'fhíor, mar ón lá san amach, bhí an chos ag cneasú agus sara raibh an tseachtain istigh bhí Máire ag rith an bháin aríst. Deireadh mo mháthair ina dhiaidh sin ná cneas-ódh sí go deo mura mbeadh an sagart beannaithe sin, ach is é Savage a chuir ar a súile í chun é a thabhairt léi.

Fear maith ab ea Savage cé go mbímis anuas sa mhullach i gcónaí air mar thugadh sé an maide dhúinn. Bhí gairdín ana-dheas aige ar an dtaobh thíos den dtigh agus bhíodh gabáiste, turnapaí agus meacain ann. Tabhair fé ndeara gurb shin iad a gheobhadh an scanradh uainne nuair a fhaighimis an seans orthu. Bhíodh cosán deas ag an máistir ag binn an tí thíos agus bhíodh sé ag siúl ann nach aon tráthnóna nó go dtagadh an oíche. Ní mór eile a bhíodh le déanamh aige. Is cuimhin liom oíche cheofránach ar ghabh Paidí Ghob-nait chugham agus dúirt sé liom gur mhaith an oíche í chun ruathar a thabhairt ar ghairdín Savage. Arsa mise leis go raibh an oíche ana-fhliuch agus nár mhór dom caipín éigin a fháil.

'Téire abhaile,' ar sé, 'agus gheobhair caipín éigin agus fanfadsa anso ag binn tí Neil Chooney nó go dtiocfair, ach má bhíonn tú i bhfad imeod i do cheal mar tá ana-dhúil i meacain anocht agam. Is dócha gur lón bóthair é.'

D'imíos uaidh abhaile agus bhí Maidhc Lyne agus mo mháthair istigh romham agus iad ag cur síos ar an seanshaol. Chuas féin ag cuardach an bhfaighinn aon chaipín, ach chuaigh díom.

'Cad tá uait,' arsa mo mháthair, 'go bhfuil an phóirseáil go léir ort? Déarfadh aoinne gur cearc thú a bheadh ag dul a breith.'

'Tá seanchaipín uaim mar tá an oíche tais fliuch chun a bheith ag raimbiléireacht agus tá Paidí Ghobnait ag brath liom agus seanchaipín lena athair air.'

'Níl aon chaipín sa tigh,' ar sise, 'ach caipín nua t'athar agus ná bíodh sé de chrois ag Dia ort é a thabhairt leat, nó má thugann tú is é an sagart uachta a bheidh ort é.'

'Th'anam 'on diabhal, an dtuigir,' arsa Maidhc Lyne. 'Tabhair leat mo chaipínse, ach ná caill ar do chluais é, mar níl aon bhall eile Domhnaigh agam, agus bí tagtha anso leis sara n-imeodsa abhaile.'

D'imíos liom ag pocléimrigh. D'imíomar linn suas agus nuair a chuamar go dtí binn tí Tim, bhí an máistir ar a choiscéim siar agus aniar ar a chosán, fé mar a bheadh coinín oíche sheaca. D'fhanamar ag an mbinn ag faire nó gur imigh sé isteach abhaile. Fear teann téagartha b'ea é.

Ní raibh sé ró-ard ach bhí sé chomh leathan le soitheach a
mbeadh na fonsaí ag titim de. Nuair ab am linn é bheith
socair istigh, thugamar isteach fén ngairdín, ach má
thugamar ní raibh ach aon mheacan amháin stoite
agamsa nuair a chonac chugham anuas an allait mhór
agus nach aon tséid phoill aige, fé mar a bheadh ag tarbh
róin thiar i gCuas an Éin a d'iarraidh an uisce a bhaint
amach le heagla go bhfaigheadh sé aon liúdar i
ndroichead na sróine, mar sin é an áit atá an marú ar an
rón.

Ritheamar agus leis an ndeabhadh agus leis an
bhfuirse a bhí orm féin thit mo chaipín díom agus d'fhan
sé ansan, mar ní ar an gcaipín a bhíos ag cuimhneamh
ach orm féin, mar bhí a fhios agam dá mbéarfadh Ó
Sábháin orm go raibh mo chóta bán déanta, mar fear
goimhúil ab ea é nuair a bhuaileadh an néal é. Chuir-
eamar dínn bóthar bharr an bhaile siar agus an gleann
mór síos agus laistíos aniar bóthar bhun an bhaile agus
ár gcroí go dtínár mbéal le scanradh roimis an allait.
D'imigh Paidí Ghobnait abhaile uaim agus d'fhanas féin i
bpoll in aice mo thí nó go mbeadh Maidhc Lyne imithe
abhaile, mar ní ligfeadh mo choinsias dom dul féna
bhráid agus a chaipín caillte agam. Níorbh aon tábhacht é
bheith caillte ach é bheith ag an máistir. Ar deireadh
ghabh Maidhc Lyne amach as mo thigh agus caipín nua
m'athar air agus é tarraingthe anuas ar a chluasa aige, fé
mar bheadh caipín oíche ar sheanduine. Nuair a chonac
ag imeacht é chaitheas gáirí, mar thug sé uair a chloig
bhreise ag brath liomsa, ach ní fhágfainn an coinicéar a

bhí agam. Nuair a chuamar ar scoil ar maidin sé an chéad rud a bhí le feiscint againn ná an caipín agus é crochta anuas leis an gclár dubh. Cheistigh an máistir sinn go léir agus d'fhiafraigh sé dínn cé acu againn ar leis an caipín.

'Th'anam 'on diabhal,' arsa Paidí Ghobnait. 'Sin é caipín nua Mhaidhc Lyne, mar níl a leithéid ag aon duine eile ar an mbaile.'

'My! My!' arsa an máistir, 'tá's agaibh nach é an fear mór san atá ag dul i mo ghairdín.'

'Ambaiste mhuise,' arsa Paidí Ghobnait aríst leis, 'gurb é, mar tá comharthaí os do choinne amach agus ná bí ag cur a mhilleáin ar aoinne againne mar táimidne chomh glan leis an sagart ar do ghairdín.'

Bhíos féin ana-shásta nuair a bhraitheas an misneach a bhí ag Paidí agus dúrt liom féin gur mhaith an taca cúil é. Thug an caipín trí lá ar scoil. Má tá, ní ag foghlaim é, ach fé mar a bheadh corpán fé chlár go mbeadh trí oíche istigh aige, mar ní ligfeadh drochmhisneach do Mhaidhc Lyne dul ag triall air. Is í Bean í Dhuinnléi a thug chuige ar deireadh é. Ní bhfuair an máistir amach riamh ina dhiaidh sin gur agamsa a bhí an caipín.

Coicís ina dhiaidh sin tháinig Fionán mac Coluim go dtí an mBlascaod agus thug an máistir an scoil dó ar feadh dhá oíche chun rince agus amhráin a bheith aige. Líon an scoil isteach de mhuintir an bhaile agus chuir an máistir ag amhrán sinn. Bhí sé ana-bhuíoch dínn, mar bhí cuimhne an ghairdín imithe as a cheann. An rud a théann i bhfad téann sé i bhfuaire. Nuair a bhí an dá lá

suas ag Fionán mac Coluim, d'imigh sé abhaile agus chuas
féin agus mo mháthair agus Savage 'on Daingean 'na
theannta. B'shin é an chéad lá riamh a chuas 'on
Daingean. Bhí mótar ag Fionán agus nuair a chuas
isteach ann cheapas go léimfinn amach aríst as. B'é mo
chéad turas riamh i mótar é agus tuigeadh dom go raibh
deireadh mo shaoil istigh agus ná cífinn gairdín Savage
go deo aríst.

Nuair a d'imigh Savage ón mBlascaod bhí an scoil ar
fad ag Bean í Dhuinnléi ar feadh bliana agus b'shin í an
bhliain ab fhearr a tháinig riamh orainn. Ba gheall le
bliain ins na Flaithis í, mar bhíodh cócó agus arán bán
agus subh ón rialtas againn agus tarrac ar mhargairín
saor, cé ná raibh aon drochshaol ann nuair a bhíomarna
ag éirí suas. Bhíodh coiníní againn agus éanlaithe dearga
agus fuipíní agus forchain nuair a thagadh an séasúr
orthu. Is minic a d'itheas luiseag de chois fiaigh mhara
leis nuair a bhíodh sé aibidh agus an seanchlúmh aige á
chaitheamh de féin. Bíonn sé chomh maith le sicín an
uair sin.

Nuair a bhí an bhliain suas tháinig múinteoir fir ón
Leitriúch ann, Pádraig mac Gearailt. Fear breá sochma
agus múinteoir gan cháim. Ní fhaca slat riamh ina ghlac
aige, ach ní fada a thug sé againn ach bliain, agus b'shin í
an bhliain a d'imigh go tapaidh, mar ní bhíodh faitíos ná
eagla againn roimis. Níl aon namhaid ag scoláirí ach
múinteoir mallaithe agus tá a fhios agamsa é sin chomh
maith le haoinne mar chonac mo dhóthain acu. Níl aon dul
go deo go bhfoghlaimeoidh scoláire aon léann ó

mhúinteoir mallaithe, mar ní ar an bhfoghlaim a bheadh sé ag cuimhneamh ach ar an tslait.

Nuair a thagaimis abhaile ón scoil nach aon tráthnóna, théimis suas ar an leacain a bhí os cionn na dtithe agus báid bheaga déanta d'adhmad againn agus líonta beaga ina ndiaidh aniar agus súsán bán á chur isteach sna líonta againn, mar dhea gur maircréil ab ea iad. Nach ait a bhíonn an óige?

2

Ar Chuma an Ghainéid . . .

BHÍ MIANACH NA FARRAIGE ionainn ar chuma an ghainéid.
Ní raibh aon difir eadrainn ach gan aon sciatháin a bheith
orainn. Bhí fhios againn go maith gur fén bhfarraige
amach a thabharfaimis ár n-aghaidh chun ár slí bheatha a
dhéanamh nuair a bheimis in aois fir. Bhíodh tamall eile
den lá againn ar an dtráigh agus seó ar an dtarrac againn
uaireanta agus seó ag an dtarrac orainn uaireanta eile
mar is minic a d'fhág sé bundúin fhliucha againn agus
seans ar a bheith báite. Ní haon ana-dhóithín an fharr-
aige nuair a réabann sí ón ngrinneall. Deirtear ná beidh
ag an dtalamh ar an bhfarraige an lá déanach ach aoinne
amháin.

Nuair a d'imigh Mac Gearailt ón scoil ní raibh aríst
uirthi ach Bean í Dhuinnléi agus obair mhaith uirthi
meabhair a choimeád ar chéad scoláire, mar bhí cuid
againn mírialta go maith. Ní bhíodh aon eagla mór
orainn roimh Bhean í Dhuinnléi, cé go dtugadh sí sclamh
uaireanta orainn a chritheadh ó bhonn go baitheas sinn.

18

Déarfainn gur mheasa ar a sclamh í ná ar an mbuille. Bhí
bliain eile ansan againn agus gan sinn dulta fé Láimh an
Easpaig fós mar ní thagadh an t-easpag ach uair sa tríú
bliain go dtí Baile an Fheirtéaraigh agus is ana-annamh a
bhíodh an aimsir oiriúnach, mar bhíodh an fharraige
imithe le buile fiántais. Bhí an Teagasc Críostaí ar bharr
mo theangan agam mar is é is mó a bhí Bean í Dhuinnléi a
múineadh dhúinn. Bhí an t-am ag teacht i gcomhair an
easpaig agus sinne dár mbearradh féin ó bharr na cluaise
mar bhíomar sa seachtú rang agus cóta na cabhlach caite
againn dínn. Mhúin Bean í Dhuinnléi an mionhmíniú ar
an dTeagasc Críostaí go maith dhúinn, ins an tslí dhuit
gur dheacair d'aoinne eile é a mhúineadh ina diaidh
dhúinn.

Nuair a bhí an bhliain suas tháinig múinteoir mná go
dtí an mBlascaod. B'shin í an ceathrú múinteoir orm.
Bean chaol ard ab ea í ó Bhaile an Mhuilinn i gContae
Chorcaí. Mairéad ní Mhurchú ab ainm di. Is maith is
cuimhin liom an chéad lá a tháinig sí ar scoil. Bhí taobhán
de mhaide aici a mharódh rón duit agus cuma thuaisceart-
ach ar a dá ghrua, gan puinn cainte aici ach an dá shúil aici
á gcur trínn isteach fé mar a bheadh ag madra a bheadh ag
faire ar thabhairt fé choinín. Ach níorbh aon mhaith di a
cuid fiántais chughainne, mar bhíomar chomh mór léi
féin an uair sin. Ní raibh uainn ach dul fé Láimh an
Easpaig, ansan bheimis réidh leis an scoil agus le
múinteoirí.

B'shin é an scrúdú déanach agus níorbh aon scrúdú i
gcomhair coláiste é, mar is é bhíodh againn ná coláiste

cois tine, ag éisteacht le seanchaithe a mbíodh lomra
gruaige síos ar a muineál le barr léinn, cé ná rabhadar
laistigh de dhoras na scoile riamh, mura mbeidís lá a
mbeadh stáisiún ag's na sagairt nó lá vótála. Bhíodh
mustais ar nach aon seanduine an uair sin agus thabharfá
an leabhar gur chait iad a mbeadh luchain ina mbéal acu.

Thugamar an bhliain sin ag dul go dtí Iníon í Mhurchú
ach d'fhanaimis istigh nach aon Aoine, mé féin agus
Paidí Ghobnait agus Seán Mhaidhc Léan agus Seán
Mhaurice Mhuiris. Théimis i bpoll siar ar an dtráigh
bhán nó go mbíodh aimsir scoile imithe. Ní bhíodh aon
eagla orainn, mar bhíodh ár n-aithreacha ag iascach san
oíche agus ina gcodladh sa lá ar chuma an ghuardail. Ní
thabharfaimis mar shásamh d'Iníon í Mhurchú go
mbeadh na chúig lá ar scoil againn, mar ní bhíodh sí
róchneasta linn na cheithre lá a mbímis ag plé léi; bhíodh
an ceann trom go minic aici orainn. Fuaireadh amach go
mbímis ag fanacht istigh nach aon Aoine ón scoil agus is é
an t-ainm a baisteadh orainn ná na Fridays. Ba mhaith an
baisteadh é, agus ní baisteadh urláir leis é. Is cuimhin
liom Aoine go raibh m'athair i lár an tí ag deisiú líonta
agus d'éalaíos amach gan fhios dó agus chuireas mo
mhála leabhar ar lochta sheomra na bó, san áit a mbíodh
an mhóin againn. Nuair a bhí an méid sin déanta agam
thugas soir fé thigh Mhaurice Eoghain Bháin, chun go
mbeadh an lá fén dtor agam ann, ach ní mar síltear a
bítear. Ní rabhas ach imithe soir nuair a chuaigh mo
mháthair 'on tseomra ag triall ar fhód móna agus nuair a
sháigh sí in airde a lámh, is é an chéad rud a bhuail léi ná

mo mhála leabhar. D'fhág sí an seomra agus dúirt sí le m'athair go rabhas éalaithe ó scoil inniu aríst. Ní raibh aon fhios ag m'athair ar an scéal go dtí ar an spota san. Ní dúirt sé faic ach bheir sé ar thaobhán de mhaide agus thug sé soir fé thigh Mhaurice Eoghain Bháin agus marú duine ar iompar aige. Chonaic bean Mhaurice Eoghain Bháin tríd an bhfuinneoig thuaidh ag teacht é agus dúirt sí liom cur díom, mar gurbh fhearr rith maith ná drochsheasamh. D'fhiafraigh mé di an laistíos nó lastuas a bhí sé ag gabháil. Dúirt sí ná feadair sí sin, mar gur bhain binn an tí di é.

'Sea,' arsa mise, 'tógfad seans,' agus d'imíos liom amach agus mé ag casadh na binne siar. Sea, bhí m'athair i mo choinne aniar agus nuair a chonaic sé mé thug sé chugham leis an dtaobhán fé mar a thabharfadh sé fé tharbh róin. Dhein sé dhá lomaleath den taobhán i gcoinne na binne ach thugas-sa na cosa uaidh. Ritheas liom bun an gharraí siar agus taobh an trasnáin amach agus m'athair i mo dhiaidh ach bhí an fear maith agamsa á dhéanamh air sa tsiúl. Déarfainn ná tiocfadh Ronnie Delaney féin suas liom an lá san, mar bhíos-sa chomh héadrom le fiach mara a bheadh tar éis goir. Chaith m'athair stad agus thugas-sa fé bharr an chlaí siar fé mar a bheadh gealt. Nuair a chuas chomh fada le mám na leacan bhí an triúr eile ansan romham agus iad luite ar a gcorragiob fé mar a bheadh asail lá báistí agus iad ag faire ar an ngréin, ach cathain a d'imeodh sí ó thuaidh. Stadas ina dteannta fé mar a dhéanfadh aon asal agus chuireamar ár gcomhairle le chéile agus is é an áit a chuamar ná siar go Fothair í Mhóir ag baint craoibhe. Thugamar an lá luatharaigh sa bhFothair, mar a thugadh Piaras Feirtéar an lá sa scairt a bhí fénár mbun síos.

D'fhanamar sa bhFothair nó gur dhóigh linn go raibh sé in am iascaigh ag ár n-aithreacha. Sin é an uair a mhúsclaíomar as ár dtaibhreamh agus chuireamar dínn aníos as an bhFothair agus sinn go lag ag an ocras. Bhíomar ag ithe na craoibhe fé mar bheadh caora ar dreap ag ithe na holann di féin. Nuair a thángamar ar mhám na leacan aríst bhí na naomhóga an tráigh siar fé mar a bheadh sochraid agus iad ag dul ag iascach. Nuair a chonaiceamar iad d'imigh an dólás dínn. Thugamar fés na tithe agus ár mbrosnaí deasa de chraoibh bhán againn agus béal ár ngoile ar leathadh le hocras. Bhí mo mháthair ag sníomh romham ach ní dúirt sí sin faic riamh le haoinne againn, mar bean lag ab ea í agus níor mhaith léi aon strus mór a chur ar a croí ar eagla go dtitfeadh sé aisti—cé go bhfuil sé fós inti. D'itheas bleaist mhaith de phrátaí agus cliathán pollóige. Bhí mo dhriotháir Mícheál imithe ar fud an bhaile ag slabharáil dó féin agus bhí mo dhrifiúr chríonna, Máire, ina cócaire i gColáiste Íde i mBaile an Ghóilín an uair sin, mar b'í an té ba shine ar an ál í agus nuair a fuaireadh aon choinlíocht inti scaoileadh léi ag soláthar.

Nuair a tháinig Dé Luain aríst chaitheas tabhairt fén scoil agus gan aon ana-fhonn orm, mar bhí a fhios agam cad a bhí i mo chomhair, mar nár théigh ár gcroí riamh le Iníon í Mhurchú an fhaid a bhí sí mar cheannurraidh orainn. Bhí sí romhainn sa doras agus is é an chéad

charúl a chaith sí linn ná, 'Dia dhaoibh, a Fridays.' Bhí
faid bonnláimhe de mhaide ar an dtaobh thiar dá droim
aici ach ní chun sinne a bhualadh é, mar bhíomarna inár
bhfearaibh an uair sin agus cóta na cabhlach caite ar an
gcúl-lochta againn. D'fhanamar ag plé léi nó go raibh an
bhliain istigh aici, mar níor thug sí ach bliain inár measc,
dálta Phádraig mac Gearailt. D'imigh sí uainn ansan agus
ní hé ár mbeannacht a fuair sí. Bhí an chloch sa
mhuinchille i gcónaí againn di. Bhíomar ó bhaol ansan
mar ní raibh le tabhairt ar scoil againn ach trí mhí. Lá sa
tseachtain i gcomhair an Teagasc Críostaí, b'shin é Dé
Luain. Ní raibh aon dul againn dul ar scoil Dé hAoine; is
dócha gur toisc é bheith ina lá troscaidh é.

Tháinig Nóra ní Shé ansan sara raibh na trí mhí suas
agus théimis ar scoil nach aon Luan chuichi, ach ní raibh
aon bhaint ar aon chuma eile againn léi, mar ní raibh
uainn ach séala an easpaig a chur orainn. Nuair a bhí lá
an easpaig le teacht dúirt Nóra ní Shé linn go gcaithfimis
dul go rang na seirbhíseach. Dúramar ná raghaimis, mar
go raibh an Teagasc Críostaí againn féin chomh maith léi
sin agus b'fhéidir ní b'fhearr, mar gur mhúin múinteoirí
ní b'fhearr ná í sin dhúinn é agus ná raghaimis in aon
rang ach i rang na scoláirí. Bhuail sí cic sa talamh fé mar
bhuailfeadh capall a mbeadh cuil ag priocadh sa tóin
air agus dúirt sí linn go gcaithfimis dul go rang na
seirbhíseach, mar go rabhamar rómhór chun a bheith
inár scoláirí. Ní dúramar a thuilleadh léi—tá sé ráite
riamh dá laghad a chloisfidh na mná gurb ea is fearr iad.
Is sia a théann bobaireacht mná ná galántaíocht fir.

D'fhág sí slán againn an lá san agus dúirt go gcífeadh sí i mBaile an Fheirtéaraigh sinn lá an easpaig. D'éirigh ár gcroí orainn féin agus in ionad slán a fhágaint aici sin is ag an scoil a d'fhágamar slán, mar bhí fhios againn go rabhamar ag dul isteach i dtrioblóidí an tsaoil.

3

Lá an Easpaig

Tháinig an Domhnach roimis an easpag agus chuamar go Dún Chuinn le sean-naomhóig le m'athair chun faoistine agus comaoine a bheith againn i gcomhair an Luain, mar bhí an t-easpag le teacht go Baile an Fheirtéaraigh Dé Luain agus theastaigh uainn a bheith ar staid na ngrást ina chomhair. Creatlach mór de naomhóig a bhí againn, mé féin agus Paidí Ghobnait agus Seán Mhaidhc Léan agus Seán Mhaurice Mhuiris agus Maidhc Mhaidhc Léan, driotháir do Sheán Mhaidhc Léan.

Bhí mo dhriotháir Maidhc imithe amach romhainn, é féin agus Tomás ó Dálaigh agus Pádraig ó Dálaigh agus a thuilleadh nach iad. Chuaigh na cailíní amach i dteannta na seandaoine agus Nóra ní Shé, mar ní raibh aon ana-iontaoibh acu asainne—ní raibh puinn eolais ar an bhfarraige againn an uair sin. Cé go rabhamar tagtha ar an saol anuas uirthi, ní raibh ár ndintiúirí cearta againn fé mar bhí ag's na seanlámha a mhúin ina dhiaidh sin sinn.

25

Chuireamar na naomhóga ar na stáitsí i gcaladh Dhún Chuinn agus thugamar soir fén sáipéal. Bhí pobal daoine bailithe ansan romhainn agus bhí na súile móra acu á gcur trínn isteach nuair a chonaiceadar an croiceann breá folláin agus an chuma chomh glic a bhí orainn, mar ní raibh orthu féin ach croiceann buí sleamhain stanctha, fé mar a bheadh ar phrátaí feamnaí. Chífeá an croiceann céanna ar dhaoine istigh i gcathracha. Ba dhóigh leat gur buidéil gin iad.

Chuamar chun faoistine agus chun comaoine beann-aithe agus d'éisteamar an tAifreann agus nuair a bhí an méid sin déanta againn bhíomar ullamh i gcomhair lá na breithe—b'shin é Dé Luain. D'fhanamar i nDún Chuinn an oíche sin agus is é an áit a chuas féin agus Paidí Ghobnait ná siar an com go muintir Chriomhthain, mar bhí leanúntas gaoil againn orthu, ach bhí sé chomh sínte is ná cífeadh aon tsúil pheacaigh é. B'shin 1928. Nach mó cor curtha ag an saol ó shin de?

D'fhágamar an com ar maidin Dé Luain tar éis bleaist mhaith a bheith ite againn agus thugamar soir fé Dhún Chuinn chun go mbuailfimis leis na hOileánaigh eile a bhí scaipthe ar fud an pharóiste mar ní bhfaighimis aon tsásamh a bheith i gcomhluadar mhuintir Dhún Chuinn. Tá difríocht mhór idir Oileánach agus gamall tíreach agus tá a fhios agatsa chomh maith liomsa é. Is minic a bhíodh comhrá ag Oileánaigh le chéile agus ní fheadar an tíreánach cad a bheadh ar bun acu. Nuair a bheadh fear na tíreach ag caint ar bhannaí sin é an uair a bheadh fear an Oileáin ag caint ar éanlaithe dearga. Is minic a deireadh muintir Dhún Chuinn le muintir an Oileáin, nuair a théidís amach go Dún Chuinn: 'tá sé tarraingthe amach agaibh.' D'fhéachadh fear an Oileáin isteach agus deireadh sé, 'Níl ná tarraingthe amach. Féach istigh fós é agus beidh sé go deo ann mar is blúire des na Flaithis is ea é.' Is é an tOileán a bhíodh i gceist ag fear an Oileáin ach ní thuigeadh gamall na tíreach é.

Sea, chuamar go Baile an Fheirtéaraigh. Ní raibh aon bhaint le muintir Dhún Chuinn againn cé go raibh screamh mhaith acu féin ag dul ó thuaidh, ach má bhí ní réiteodh cearca agus lachain chuige le chéile. Lachain ab ea sinne a bhíodh anuas ar an bhfarraige i gcónaí, ach cearca b'ea muintir na tíreach ná fágadh an chúb nó go nglaodh an coileach orthu.

Bhí Nóra ní Shé i mBaile an Fheirtéaraigh romhainn agus cailíní eile an Oileáin. Bhí mo dhrifiúr féin, Cáit, ar dhuine acu, mar b'shin í an bhliain a chuaigh sí fé Láimh an Easpaig chomh maith linne. Thug Nóra ní Shé cárta dhúinn agus dúirt sí linn dul go rang na seirbhíseach. Bhí mo dhriotháir Mícheál i rang na seirbhíseach, agus Tomás ó Dálaigh agus Pádraig ó Dálaigh agus cuid mhaith seandaoine ó pharóiste Múrach a raibh clipe féasóige tríothu amach mar ghuairí ar ghráinneoig. Dúrt féin le Nóra ní Shé ná raghainn féin ná Seán Mhaidhc Léan go rang na seirbhíseach mar go raibh an Teagasc Críostaí ar ár dtoil againn agus gur chuma linn cad a dhéanfadh na seandaoine.

D'imigh sí uainn agus muc ar gach malainn léi agus chuaigh sí suas go dtí an suíochán ar a raibh na scoláirí aici: b'shin é an tríú suíochán ba shia anuas ón altóir. Bhí scoláirí Bhaile an Fheirtéaraigh sa chéad shuíochán agus scoláirí Dhún Chuinn sa tarna ceann agus ansan scoláirí an Oileáin, an dream ab fhearr acu go léir dá mbeadh oiread eile acu ann.

Shuíos féin agus Seán Mhaidhc Léan ar an tríú suíochán agus mé féin a bhí ar a cheann. Bhí Nóra ní Shé tharam suas agus nach aon chnapshúil á chaitheamh anuas aici orm fé mar a bheadh ag fiach mara ag faire ar dhul fé loch, ach an bhfaigheadh sé aon cheannchruaigh le n-ithe.

Ghabh an tEaspag ó Briain anuas ón altóir agus an tAthair Seán ó Loingsigh ina theannta. Bhí sé déanach sa lá an uair sin mar bhí sé déanach nuair a tháinig an t-easpag—bhí duine muintire dó caillte. Chuir an sagart cúpla ceist ar scoláirí Bhaile an Fheirtéaraigh agus is é mo mhórthuairim nár réitíodh dó iad. Tháinig sé as san go dtí scoláirí Dhún Chuinn agus níor chuir sé ach aon cheist amháin ar a té a bhí ar cheann an tsuíocháin. Bhíos féin ag brath chugham féin ansan, mar is mé a bhí ar cheann an tsuíocháin. Cé go raibh an Teagasc Críostaí ar bharr mo theangan agam ní raibh aon laochas orm ina thaobh, mar dúrt liom féin mura mbeadh an Teagasc Críostaí agam ná beadh faic agam i gcomhair mo shaoil chomh maith leis.

Tháinig an sagart os mo choinne amach agus an t-easpag guala ar ghualainn leis agus tuigeadh dom gur ag tabhairt fé gheataí na bhFlaitheas a bhíos, mar n'fhacas-sa easpag riamh roimis sin—ní mór na turais a bhí tugtha agam ar an mórthír ach turais na hainnise.

D'fhéach an sagart orm agus d'fhiafraigh sé díom, 'Cé dhein an Domhan?'

'Dhein Dia an Domhan, 'Athair,' arsa mise.

'An fada thóg sé uaidh é dhéanamh?' ar seisean aríst liom.

'Thóg sé sé lá, 'Athair,' arsa mise aríst leis.

'Cad a dhein sé an seachtú lá?'

'Stad sé d'obair, 'Athair.'

'An le tuirse a stad sé?'

'Ní hea, 'Athair, mar níorbh fhéidir tuirse a theacht ar chumhacht gan teora.'

'Ana-mhaith, a bhuachaill,' ar sé agus bhuail sé lámh anuas ar bhaitheas mo chinn. Cheapas gur bhain sé an ghruaig de mo cheann cé go bhfuil sí fós orm.

Níor chuir sé aon cheist ar aoinne eile, mar bhí deabhadh ar an easpag agus is mise a bhí sásta an bua a bheith agam féin agus ní mar gheall ar aoinne é ach mar gheall ar an mbean a bhí dár gcur go rang na 'bhfiach mara.' Cheap sí gur gamaill ab ea sinne, ach thugas-sa le rá dona raibh sa tsáipéal nárbh ea. Ghabhamar timpeall an tsáipéil ansan agus cuireadh séala ar ár n-éadan agus thug an t-easpag leiceadar boise dos nach aon duine a ghabh féna bhráid. Sin é an leiceadar boise a dúirt Tomás ó Dálaigh a chuir tinneas cinn air féin an lá san agus dúirt sé dá bhfaigheadh sé i gceart é go mbainfeadh sé an ceann ón muineál de, ach bhí an ceann tarraingthe ón leiceadar boise aige. Bhíomar inár Saighdiúirí Cróga ansan agus an tsacraimint bheannaithe sin tógtha againn agus gan beann ar mhúinteoirí níos mó.

Thugamar síos fé thigh tábhairne Shéamais í Chatháin

tar éis an tsáipéil a fhágaint, mé féin agus Paidí Ghobnait
agus Tomás ó Dálaigh. Bhí Tomás romhainn isteach
agus is é an chéad bheannú a dhein sé don bhfear istigh
ná rá leis trí phiúnt a líonadh de gheit. Bhí gamaill éigin
istigh romhainn agus nuair a chualadar an focal 'geit'
scartadar amach ag gáirí. 'Sea,' arsa mise liom féin, 'cailín
óg gan náire nó gáire gan éifeacht.' Sé an fáth go ndúirt
Tomás an focal, mar bhí deabhadh orainn chun tabhairt
fén mbóthar go Dún Chuinn agus tabhairt as san fé
cheithre mhíle farraige. Ach n'fheadair gamaill na luaithe
é sin, mar is anuas ó bhun na gcnoc ab ea iad, agus níor
fhéachadar an fharraige riamh, ach oiread le pocán an
Daingin nó gur léim sé isteach inti.

D'ól Tomás a phiúnt ar a shuaimhneas, ach níor ólas-sa
agus Paidí ach a leath. Chuir sé méabhán i mo cheann
agus d'fhan sé ann nó gur thánag go Dún Chuinn. Bhain
aer cumhra na mara as é agus radharc an oileáinín
draíochta a bhí os ár gcoinne isteach agus an ghrian ag
fágaint slán aige.

Tar éis cúrsa an lae bheith tugtha isteach aige, 'An
diabhal,' arsa Paidí Ghobnait, 'an t-ocras atá orm! Is mó
duine agus tigh atá buailte linn ó d'fhágamar Baile an
Fheirtéaraigh agus níor ghlaoigh neach beo acu isteach
orainn chun cupa bainne ná aon ní eile a thabhairt dúinn,
ach ní fiú deoch uisce na n-ubh iad agus dá raghadh na
diabhail sin 'on Oileán chughainne, sé an chéad rud a
gheobhaidís ná bia, mar níor scaoileadh aoinne riamh
amach as gan leathbholg a bheith air ag bia.'

'Éist, a Phaidí,' arsa mise, 'an gcuailís cad dúirt an file?'

'Níor chuala.'
'Clois anois é mar sin agus coimeád i do cheann é:

An barra bua anois fágaim
Ag an Oileán mór le háireamh
Mar riaraidís go fáiltiúil
Is ní ghlacaidís aon díol.'

Bhí beirt againn ag caint ar an gcuma san nó gur ghlaoigh mo dhriotháir Mícheál orainn agus dúirt sé ár gcuid cainte a chaitheamh uainn agus brostú anuas, má bhí aon fhonn abhaile orainn, an fhaid a bheadh an driodaráil-atha againn: má bhéarfadh an taoide thuile orainn go smitfeadh sí ar Inis Tuaisceart sinn mar go raibh an tráthnóna ag dul ar bun.

'Tóg bog é,' arsa mise leis, 'agus ná caill do chiall. Ná dúirt easpag leis na hOileánaigh fadó nár ghá dhóibh aon eagla bheith roimis an bhfarraige acu mar gurbh í a gcosán í agus ná báfaí go deo iad.'

'Is cuma duit cad dúirt an t-easpag san,' arsa Pádraig ó Dálaigh, 'mar tá sé caillte le céad bliain agus aoinne atá caillte ní mór an mhaith é, agus rud eile atá ar an scéal, caitheam go léir bás a fháil má mhairimid leis.'

Leagamar an dá naomhóig des na stáitsí agus chuireamar ar snámh iad agus chuireamar na gearrchailí isteach iontu. Bhí mo dhrifiúr Cáit agus beirt eile cailíní inár naomhóigne agus sé bhíodar curtha laistíos aniar fés na tochtaí againn fé mar a bheadh banbhaí óga fé bholg cránach. Bhí Nóra ní Shé sa naomhóig eile agus triúr eile cailíní agus iad socraithe ar an gcuma chéanna acu inti.

Chaithfeá é sin a dhéanamh, mar bád chomh baoth le
hubh is ea an naomhóg agus má gheobhadh sí aon
ghrogadh chuirfeadh sí aisti amach a mbeadh inti. Ach
bád maith is ea í má gheobhann sí aire, ach chaithfeá aire
na fola a thabhairt di. Níor mhór duit gan aon chuileanna
bheith ar do ghuailne, mar dá mbeadh bhís báite.

D'imíomar linn amach tríd an bhFaill agus nuair a
chuamar go béal na hAille bhí sé maol gléigeal tríd an
mbá aneas agus braon sa tsúil aige agus an fharraige ag
éirí bolgaithe agus cnoic ag éirí idir sin agus an t-oileán
agus iad ag pléascadh anuas ar a chéile fé mar a bheadh
mná ag sliosáil flainín. Bhíomar ag rámhaíocht linn agus
an steall a d'éiríodh ag tosach na naomhóige, bhuaileadh
sé an croiceann againn, ach ní raibh aon nath againn á
dhéanamh de san mar ba gheall le seithe leathair an
croiceann a bhí orainn an uair sin. Ní raibh beann ar
sháile ná ar ghréin againn ach ar chuma na róinte.

Bhíomar ag baint Lán na Pípe de isteach i gcónaí agus
nuair a thángamar go leath slí, sin é an áit a bhuail tosach
na taoide sinn agus craos-ní uirthi agus nach aon bhúir
aici fé mar bheadh ag tarbh buile agus nuair a screáchadh
na gearrchailí ba sheacht mheasa ná san iad mar bhí an
t-eagla rite sa bhfuil acu agus chroithidís an naomhóg
óna tosach go dtína deireadh. Ní raibh puinn eagla
orainne mar bhí an dá naomhóig againn i dteannta a
chéile—fé mar bheadh dhá naomhóig ag dul go Dún
Chuinn le bó.

Sé an áit a chuir an scríb ar deireadh sinn ná ar an
dtaobh thuaidh isteach de Bheiginis. Bhí a raibh sa dá
naomhóig as a sile mhaol báite agus nuair a chífeá na

gearrchailí, ba dhóigh leat gurb ál sicíní iad amuigh fé bháistigh. Bhí a gcuid gruaige imithe ina glib agus an braon ag sileadh siar síos astu. Stadamar i dTráigh an Loinnithe i mBeiginis mar bhí an dá naomhóig lán suas go dtí na tochtaí d'uisce, agus bhíomar traochta amach ag an gcúrsa, mar bhíomar 'ár dtroscadh ón maidin roimis sin. Thaoscamar amach an dá naomhóig mar bhí foscadh againn ón scríb mar a rabhamar, cé go raibh an scríb lasmuigh i gcónaí agus an bhéicigh chéanna ag's na tonntracha.

Nuair a bhí an naomhóg taosctha amach agam féin chuir Seán Mhaidhc Léan a lámh ina phóca chun go mbeadh gal de Woodbine aige tar éis an lae, ach mo léir agus peacaí mór mo shaoil, ní raibh ina phócaí ach uisce agus bruscar, agus i bpócaí na coda eile chomh maith leis. Ní dúrt féin faic a' bharra leo, mar is mé bhí i dtosach na naomhóige agus is é an áit a bhí mo chuid Woodbines agam ná thíos i stán toistiúin i ngreim idir mo dhá chois agam. Bhíodar ansan agus gan aon ghal acu. Ní ligfeadh eagla dom dul 'on stán ar eagla go b'ea stracfaidís ó chéile é agus go mbeinn gan ghal nuair a raghainn abhaile—is ar an ngal a bhí mo sheasamh.

Chuireamar dínn ó Thráigh an Loinnithe agus ghabhamar lastuaidh aníos de Bheiginis agus ní rabhamar ach dulta ar an gcaladh san am is gur shéid an tráthnóna ar fad, ach ba chuma linn, mar bhí na cosa tugtha abhaile an uair sin againn. Bhí bord de phrátaí breátha beirithe romhainn agus coiníní aniar ó Inis Mhic Fhaoileáin a raibh dhá dhuán saille acu, b'fhada ó ocras iad.

Bhuaileas le Nóra ní Shé cúpla lá ina dhiaidh sin agus

thug sí bosca mór toitíní dom, tar éis an seanbhlas go léir
a bhí aici orm lá an easpaig, ach tar éis na mionna is fearr
na mná. Thugamar dhá mhí ina dhiaidh sin ag caint ar lá
an easpaig, mar sin iad na scéalta bhíodh againn nuair a
thagadh an oíche agus nuair a bhímis críochnaithe leo
théimis ag éisteacht leis na seanchaithe.

4

Na Potaí Gliomach

PÉ SCLÁBHAÍOCHT a bheir ormsa ag teacht ó Dhún Chuinn
Lá an Easpaig, bheir dhá oiread déag ina dhiaidh sin
orm. Bhíos ag luí isteach sa tsaol mífhoighneach so agus
ag tabhairt fé obair a cheapas ná raibh chomh cruaidh is
bhí. Cé go ndeirtear gurb í rogha na mbeart an bheart
mhall, n'fheadar an b'í nó nach í. Pé acu mall nó déanach
í bheir cruatan ormsa, mar chuas ag gabháil do photaí an
bhliain sin, mé féin agus m'athair agus mo dhriotháir
Mícheál. Bhí an naomhóg againn, ach chaithimis dul ag
baint thuigí go dtí coill Bhaile an Ghóilín chun ábhar na
bpotaí. Ní raibh slithirneach ná tuige san Oileán riamh
ach oiread is bhí i lár na farraige. Deireadh na seandaoine
ná fásadh tuige ná slithirneach ann—go mbeidís ró-
ghairid don sáile. Ní aontóinn leis sin, mar d'fhás tuigí
ina dhiaidh sin ann, ach ní rabhadar chomh maith is ba
cheart dóibh a bheith. D'imíomar maidin ón Oileán, mé
féin agus m'athair agus Maurice Mhuiris agus Tim, agus

thugamar ó dheas fé choill Bhaile an Ghóilín. Bhí an
mhaidin go haoibhinn agus an ghrian ag cur di aníos de
dhroim Shliabh an Iolair chun cúrsa an lae a thabhairt
isteach di féin. Bhí an choill romhainn go maorgúil agus
gach ní ag fás inti ón dtáthfhéithleann go dtí an
slithirneach.

Chaitheamar dul go dtí na mná rialta a bhí i gColáiste
Íde chun cead a fháil na tuigí a bhaint, mar bhí an choill
ag dul leis an gColáiste. Théadh daoine ón míntír ag
baint thuigí inti agus dheinidís ciota fogha den gcoill,
mar théidís isteach go dtí béal an Choláiste agus
ghearraidís na crainn. Fealltóirí b'ea iad san agus ní
raibh aon ní oiriúnach dóibh ach mí fé dhian-
sclábhaíocht. Bhí rian orthu, stop na mná rialta ar fad ar
deireadh iad agus ní ligidís aoinne 'on choill ach muintir
an Oileáin, mar ní dheinidís san aon léirscrios ach a
bheith ag baint an rud a theastaíodh uathu. Nuair a
chuamar go dtí an gColáiste scaoileamar uainn isteach
m'athair chun an cead a fháil.

Mo dhrifiúr Máire an chéad duine a bhuail leis, mar
bhí sí ina cócaire sa Choláiste an uair sin, í féin agus Éilís
Mhicil agus Mary Mhicil. Chuaigh Máire go dtí an
gceannurraidh a bhí ar an gColáiste. B'í sin Máthair
Chártha, agus dúirt sí le m'athair gan an choill a spáráil
agus teacht go dtí an dinnéar nuair a bhraithfimis an
t-ocras ag teacht orainn. Ar mh'anam féin go raibh ocras
ormsa ar an spota san, mar bhíos óg agus bhíodh béal mo
ghoile ar leathadh i gcónaí—cé go raibh blúire aráin i mo
phóca agam do roinneas le m'athair é. Nuair is gainne é

an bia is fial é roinnt. Chuamar ag baint agus ní gan allas
é, mar lá beirithe samhraidh ab ea é agus bhí nach aon
deoir ag sileadh anuas do mo bhaitheas. Bhí na cuileanna
ag imeacht mórdtimpeall orainn agus glór na n-éan os ár
gcionn in airde. Bhíomar ag baint linn scothán cam agus
scothán díreach nó gur tháinig an tráthnóna. Níor
labhair fear againn nó gur chuir an t-ocras ag caint ar
deireadh sinn. Ní mór an chaint í mar bhí an lagaíocht ag
baint an bhoinn uainn. Chuimhníos ar an bhfile:

> *Tá an choill go craobhach maorgúil maisiúil*
> *Agus gheobhair inti tortha dá háilneacht,*
> *Ach deirimse féin is ní bréag dom aithris*
> *Gurb í scéimh na bréige an bhreáthacht.*
> *A Dhia thá thuas in uachtar neimhe*
> *Doirt anuas do ghrásta*
> *Ar chlann an tsaoil atá i bpéin le fada*
> *I ngleann na ndeor go cráite.*

Bhí an dinnéar ullamh ag mo dhrifiúr Máire romhainn.
Bhí plátaí móra feola againn agus foirc agus sceana. Bhí
an bhean rialta ina seasamh ag caint linn, ach ní raibh
aoinne ag tabhairt aon aird uirthi ach m'athair. B'fhearr
linne go mbeadh sí imithe as ár radharc chun go
raghaimis ag alpadh, mar chuir an bia ampla an bháis
inár gcroí. D'imigh sí ar deireadh agus nuair a fuair Tim
imithe í thug sé fé chnámh a bhí ar an bpláta leis an
bhforc agus fé mar a thugadh sé fé, d'imíodh an cnámh
ar fud an phláta ag rince agus dheineadh an scian glór
uaibhreach nuair a bhuaileadh sí an pláta agus bhain-

eadh sí macalla amach. Dheininn fhéin gáire nuair a
d'fhéachainn ar Tim agus an stuaic bheag a bhí amuigh
ar a chláréadan. Ba dhóigh leat gurb eireaball circe í a
bheadh bearrtha ag seanbhean le siosúr. Nuair a chíodh
Tim mise ag gáirí d'fhéachadh sé ar m'athair fé mar a
d'fhéachfadh leanbh ar a mháthair agus deireadh sé,

'A Rí na nGrást, a Sheáin, nach ait an píce é ná raghadh
ceangailte sa bhféar.'

'Stad,' arsa m'athair ar deireadh leis, 'agus caith uait an
diabhal forc sin agat agus oibrigh na foirc a thug Dia
dhuit agus dein an rud a dhein an fear aniar fadó nuair a
chuaigh sé go Corcaigh leis an im.'

'Cad a dhein an fear san?' arsa Tim.

'Chuir bean an tí feoil agus forc agus prátaí chuige
agus chaith sé an forc uaidh síos fén mbord agus bheir sé
ar an gcnámh feola agus bhuail sé trasna ina bhéal é, fé
mar a dhéanfadh madra ocrach. Bhí sé ag ithe leis nuair a
tháinig bean an tí chuige agus an cnámh trasna ina bhéal
aige agus prioslaí ag sileadh le dhá thaobh a bhéil le dúil
ann. Labhair bean an tí leis:

> Mo ghrá thú agus mo chiach
> A rogha na bhfear aniar
> Nár iarr riamh forc ná scian
> Ach an cnámh bheith trasna id' bhéal,
> Agus é stracadh soir agus siar.

'Sin é a dúirt an bhean san,' arsa m'athair, 'agus tá sé
chomh maith agatsa an rud céanna a dhéanamh. Nó
mura ndéanfair beidh putóga folmha agat anocht agus ní

dhéanfair néal chodlata, mar níor dhein putóga folmha riamh codladh agus caith uait an forc anois an fhaid atá an t-ionú agat air, mar ní chífir aon bhean rialta eile sa lá atá inniu ann—tá a mhalairt de chúram orthu.'

Chaith Tim uaidh an forc agus chaith m'athair agus Maurice Mhuiris chomh maith leis uathu iad agus d'oibríodar na foirc a thug Dia dhóibh. Nuair a bhíomar ag imeacht thug Máire punt do m'athair agus dhá scilling domhsa. Bhí dhá scilling an uair sin chomh maith le deich scillinge inniu. Thugamar fén gcoill mhór aríst agus bhíomar ag baint linn nó gur tháinig faobhar na hoíche. Is í an oíche a chuir inár stad sinn, mar bhí a gceann féna sciatháin ag's na héanlaithe agus gan faic le clos againn ach glór caointeach na gaoithe a bhí ag imeacht i measc na gcrann. Chuireamar na birt in imeall na coille nó go dtiocfadh an mhaidin orainn agus go bhfaighimis capall éigin a thabharfadh go Dún Chuinn iad.

Thugamar amach fé Bhaile an Ghóilín i gcomhair na hoíche, fé mar a thugadh na bacaigh fadó tar éis an lae a bheith istigh acu. Chuas-sa agus m'athair go dtí tigh Thomás ó Maoileoin agus d'fhanamar ann go maidin. Chuaigh Maurice Mhuiris agus Tim go dtí muintir Chonchúir a bhí ann, mar bhí caidreamh gaoil ag Tim leis an seanduine a bhí sa tigh. Mura mbeadh féin, is daoine galánta b'ea muintir Bhaile an Ghóilín agus is ea fós, mar is ón nGaeltacht a thángadar. Ní mór den mhaidin a bhí caite san am is go raibh Tim tagtha chughainne go dtí tigh Mhaoileoin agus fuirse agus deabhadh air. Dúirt sé le m'athair a bheith ag ullmhú chun go raghaimis abhaile, mar go raibh an lá ag athrú agus an ghaoth ag síneadh chun na farraige.

'Má tá,' arsa m'athair, 'ní raghadsa abhaile nó go mbeidh mo chuid tuigí le mo chois, ach féadfairse do bheart a bhualadh thiar i gcuing an mhuiníl ort féin agus tabhairt fén mbóthar leis, mar tánn tú láidir tar éis na feola a d'ithis sa Choláiste inné agus b'fhéidir dá raghfá inniu leis ann go mbeadh cnámh eile agat le fáil.'

'A Rí na nGrást,' arsa Tim, 'nach í inniu an Aoine, nó an b'ea thánn tú chun madra carghais a dhéanamh ar fad díom?'

'Is cuma dhuit ina Aoine nó ina Shatharn é,' arsa m'athair, 'má gheobhann tú aon ní cóir le n-ithe uathu. An té cheap an Aoine is é cheap an Satharn.'

'Tá's ag Dia,' arsa Tomás ó Maoileoin, 'go bhfuil an capall díomhaoin agamsa inniu agus nach fada bhead ag dul siar leis an ualach daoibh agus tabharfaidh sé siar sinn féin chomh maith. Tá sé ráite riamh gan do chapall ná do bhean a spáráil, mar beidh mná agus capaill inár ndiaidh agus sinne ag tabhairt an fhéir.'

Réitigh sé an capall agus thug sé go dtí Lúb na Coille é agus chaitheamar na birt tóin thar ceann isteach sa chairt agus thugamar fén mbóthar aneas fé mar a thabharfadh bacaigh a bheadh ag bailiú ar feadh trí lá agus níor dheineamar stad ná staon nó gur bhuail sé thiar ar bharra Aille Móire an t-ualach.

'Is dócha,' arsa m'athair, 'go gcaithfeam síntiús éigin airgid a thabhairt duit as do thógaint ón dtigh agus ó do chuid oibre.'

'Ní gá dhaoibh leathphingin bhearrtha a thabhairt dom,' ar sé sin linn, 'ach cuiríg' cúpla céad de mhaircréil leasaithe chugham i gcomhair na Samhna so chughainn. Nó mura gcuirfidh sibh, sé an t-ualach deireanach agus an chéad ualach agamsa á thabhairt go Dún Chuinn chughaibh é.'

Sea, bhí Tomás ag déanamh seoigh, mar bhí a fhios aige go maith go bhfaigheadh sé an t-iasc agus gan aon ualach a thabhairt chughainn. D'imigh sé uainn abhaile agus chaitheamar nach aon bheart acu a thabhairt síos an bhfaill ar ár ndroim agus sara raibh an dá bheart dhéanach thíos agamsa agus ag m'athair, bhí dronn go talamh orm fé mar a bheadh ar chamall a mbeadh a dhroim briste. D'fhág Maurice Mhuiris agus Tim a gcuid tuigí sa bhfaill, ach thugamarna isteach abhaile ár gcuid féin, mar is í ár naomhóg féin a bhí againn agus ní fhéadfadh sí a thabhairt léi ach an méid a bhí againn féin. Bhí gaoth aneas agus taoide rabharta ann, mar tosach ré agus rabharta ab ea é agus ní bhíodh aon ana-iontaoibh ag's na seandaoine riamh as rabharta theacht na ré. B'fhearr leo go mór rabharta lán na ré, mar ba mhinic a thug sé aimsir bhreá leis. Ní fheadar fear ó chom cnoic aon ní mar gheall ar na rabhartaí sin. Is dóigh leis go mbíonn rabharta nach aon lá sa tseachtain ann. Is é sin mura gcuireann an ghealach ar aon chuid acu.

Bhí oiread tuigí againn is dhein deich gcinn fhichead de photaí dúinn. B'shin iad na potaí a raibh na méireanta bainte acu dínn sara rabhadar déanta againn, mar bíonn fadharcáin an diabhail ar na tuigí fiáine a bhíonn ag fás sa

choill agus bhéarfadh na fadharcáin sin ar do mhéireanta
i gcoinne an tsoithigh nuair a bheifeá ag déanamh na
bpotaí. Mar caithfidh soitheach mór a bheith agat chun
an pota a dhéanamh agus scraithín mór in airde ar a
thóin chun na dtuigí a chur i ngreim ann. Caithfir dhá
cheann déag de thuigí a chur ina seasamh sa scraithín sin
ar dtús agus ansan nuair a bheidh an cléibhín déanta,
caithfir dhá thuige eile a chur ina seasamh leis an dá
cheann déag, sin sé cinn déag ar fhichid ar fad ina
seasamh i gcomhair an phota. Caithfir na sé cinn déag ar
fhichid sin a lúbadh ansan agus téadán a chur orthu ar
bhun an tsoithigh agus ní téadán lofa leis é, má sea
brisfidh sé agus léimfidh do phota den soitheach agus
beidh Trá Lí ar an mbóthar agat.

Dheineamar deich gcinn fhichead de photaí an bhliain
sin—de photaí móra troma, mar stuif throm ab ea na
tuigí fiáine agus ba throime ná san a bhíodar nuair a
fuaireadar an t-uisce. Bhí na potaí ullamh suas ansan
againn. Dhá chloch ins nach aon phota agus deich bhfeá
fichead de théad agus cheithre cinn de scibhéirí chun an
baoite a choimeád sa phota. Ní fheadar gamall anuas ó
bhun cnoic aon ní mar gheall ar na rudaí seo. Níor mhór
dó tamall dá shaol a chaitheamh i dteannta na
nOileánach.

5

Cogadh ar Muir

CHUIREAMAR NA POTAÍ i bhfarraige Dé Máirt mar ní raibh
aon dul go gcuirfí Dé Luain ná Dé hAoine ná Dé Sathairn
iad, mar bhíodh piseog acu leis sin—aistriú an Luain ó
thuaidh, deiridís, agus aistriú an tSathairn ó dheas, ais-
triú na hAoine siar, níor dhein sé riamh a leas. Sea,
chuireamar na potaí lastuaidh soir den gCeann Dubh, sin
é an pointe is sia siar den Oileán agus ní maith an pointe é
nuair a bhuaileann na bróinte farraige ina choinne.

Ní raibh aon radharc le feiscint an lá san againn ach
báid mhóra Francacha ag iascach ghliomach. Níor
tháinig a leithéid de bhliain riamh orthu. Bhíodar ar
chuma na míola corra ag teacht isteach ón bhfarraige
orainn. Ní bhíodh aon mhótar an uair sin orthu, ach iad
ag brath ar an ngaoith. Pé scéal é, d'imíomar maidin lá
arna mháireach ag tarrac na bpotaí agus le linn dúinn a
bheith ag casadh an Ceann Dubh ó thuaidh, ní raibh aon
uisce le feiscint againn ach téada potaí na bhFrancach.

Bhí a n-árthaí imithe chun na farraige ag an dtaoide, mar
ní raibh miam gaoithe as an spéir, ach an fharraige ina
léinsigh agus scáth na talún le feiscint sa bhfarraige.

M'athair a bhí i ndeireadh na naomhóige agus Mícheál
ina lár agus mé féin i dtosach agus nuair a chonaiceamar
na coirc go léir agus na téada, tháinig dúil an mhairbh
againn iontu agus gan aon árthach le feiscint againn, mar
bhíodar tarraingthe chun na farraige ag an dtaoide. Sé
bhíodh na potaí curtha acu ar aon téad amháin agus
bhíodh timpeall fiche pota ar nach aon téad. Thugamar
fén gcéad chuid acu a bhuail linn agus ghearramar deich
gcinn acu den dtéad agus d'fhágamar uirthi na deich
gcinn eile. Thugamar linn ó dheas ansan iad agus chuir-
eamar i bpoll i gCuas na Baise iad, san áit ná cífeadh aon
tsúil pheacaigh iad. Nuair a bhí an méid sin déanta
againn tharraingíomar ár bpotaí féin agus bhaineam-
ar dhá dhosaen gliomach astu agus bhaoiteálamar síos
arís iad agus thugamar fé photaí na bhFrancach agus
bhaineamar barratharrac astu agus gan aon radharc fós
ar na hárthaí againn, ná aon tseans go mbeadh, toisc gan
aon chóir ghaoithe a bheith acu—ar an ngaoith a bhí a
seasamh. Chuireamar na gliomaigh 'on phota stóir agus
bhíomar ag iascach linn go hoíche ar ár bpotaí féin agus
potaí na bhFrancach, ins a' tslí dhuit go raibh deich
ndosaen tráthnóna againn.

Nuair a tháinig an tráthnóna orainn, ghabhamar aniar
go dtí's na potaí a bhí i gCuas na Baise againn agus
thugamar linn aniar ar thaobh an Oileáin iad agus
bhaoiteálamar síos i gcomhair na maidne iad agus

thángamar abhaile agus ní dúramar faic le haoinne mar gheall ar an scrios a bhí déanta againn, mar bhí eagla orainn go dtabharfaidís fé Fhaill an tSeabhaic agus go ndéanfaidís scrios ar na potaí Francacha. Bhí an scrios céanna déanta ag chúig cinn de naomhóga ar photaí Francacha in Inis Tuaisceart. D'imíomarna aríst lá arna mháireach agus bhí aer beag de ghaoith aneas ann. Le linn dúinn an Ceann Dubh a chasadh ó thuaidh, bhí an Mhuirchú romhainn agus a hancaire amuigh aici agus ceann des na báid Fhrancacha ar adhastar aici agus captaen an Mhuirchú ar bord inti. Sméid an captaen orainn féin agus labhair sé amach as Gaelainn linn, agus d'fhiafraigh sé dínn an rabhamar anso inné. Dúramar ná rabhamar, mar go rabhamar sa Daingean. B'shin bréag ráite againn, ach bhí ár mbun féin againn leis sin. Bhí eagla orainn go ndéarfadh sé leis an bhFrancach gur sinne a ghoid na potaí uaidh. Bhí a bhformhór tarr-aingthe in airde ar bord acu féin tar éis na maidne. Ach bhí cuid mhór mhaith ina ndiaidh agus dúirt sé linne iad a tharrac agus iad a chur ar bord chuige. Dúirt m'athair leis ná raibh aon phota eile Francach sa bhFaill ach ár bpotaí féin; agus an dóigh leat ná gur chreid sé sinn. Tharraing sé an t-ancaire agus thug sé fé Ghóilín Uíbh Ráthaigh ó dheas agus an bád Francach ar adhastar ina dhiaidh aniar.

Bhí na báid eile Francacha ag ainliú siar ar an dTiaracht an uair sin agus radharc mhaith acu ar an Muirchú, mar bhíodh gloiní móra acu agus chídís i bhfad Éireann ó bhaile leo. Bhí aer deas gaoithe an uair sin ann

agus fo-phota againne á shuncáil chun go mbeidís againn
nuair a d'imeodh an tóir, mar ana-photaí iascaigh ab ea
iad ach iad a tharrac tiubh. Nuair a fuair na Francaigh a
bhí siar ó thuaidh ar an dTiaracht an Mhuirchú imithe ó
dheas, dhíríodar féin aníos ar Fhaill an tSeabhaic ach
b'shin í an Fhaill folamh rompu, mar an méid nár thug an
Mhuirchú léi bhí sé tugtha againne linn. Tháinig deich
gcinn acu isteach go Faill an tSeabhaic den iarracht san le
saothrún de ghaoith aneas agus chuireadar amach na
báid bheaga chun dul ar thóir a gcuid fearais, ach mo
mhairg, bhí Faill an tSeabhaic chomh glan ó aon phota is
tá an t-urlár. Chuamar féin ceangailte de cheann des na
báid mhóra agus bhíomar ag déanamh comharthaí dóibh
go raibh ana-thrua againn dóibh. Bhí sórt tuiscint ar
Bhéarla ag cuid acu ach b'é an beagán é. Thugadar
chughainn buidéil mhóra rum agus sórt éigin tobac a
bhíodh acu a nglaoidís Gravioli air, ach tobac gan mhaith
ab ea é. Bhíodar chomh deas linn an lá san mar
cheapadar ná raibh faic déanta as an tslí againne orthu.
Dá mbeadh a fhios acu go raibh, bhíomar báite acu agus is
dócha nárbh aon pheaca dóibh é.

Bhíodh fear ag teacht ón bhFrainc ag ceannach
ghliomach an uair sin agus is é an ainm a bhí air ná Peter
Trehiou. Ó Phaimpol ab ea é. B'shin é an chéad fhear a
thóg na hOileánaigh ón mbochtanachas. Fear uasal ab ea
é. Is minic a thug sé airgead aníos as a phóca dos na
hOileánaigh nó go mbeadh sé déanta acu. Thugadh sé
téada potaí agus coirc agus traimilí chuchu agus rudaí
nach iad. Bhí sé chomh maith le traein dos na hOil-

eánaigh. Ana-Chaitliceach ab ea é. Is minic a tháinig sé
isteach ar an mBlascaod maidineacha a mbíodh Aifrintí
ag sagairt stróinséartha ann, mar bhíodh an t-árthach
fé ancaire i dtráigh an Oileáin aige. Ní raibh fé ach
leathchos agus cos mhaide, mar bhain téad chruach an
chos de agus é ina fhear óg. Bhí ana-Bhéarla aige agus
thug mac leis tamall mór ag dul ar scoil i gCorcaigh agus
bhí Gaelainn bhlasta aige. Is í a bhíodh sé a labhairt linne
i gcónaí, mar cheap sé ná raibh aon Bhéarla againn. Bhí
ana-mheas ar an nGaelainn aige agus bhí ana-mheas ag
an athair air toisc í bheith aige le labhairt linne. Is minic a
ghoid sé tobac milis chughainn mar ní thabharfadh a
athair aon bhlúire dúinn ach thugadh sé dár n-aithreacha
é. Is cuimhin liom lá a thug sé buidéal mór rum do
m'athair agus d'ólas-sa agus Mícheál braon maith de
istigh i bhFaill an tSeabhaic lá breá agus sinn ag tarrac
photaí. Bhain sé an mheabhair amach as mo cheann ach
ní mór an mheabhair a bhí agam an uair sin ach oiread
leis an bhfaoileán a théann ag lorg bháirneach ar
barrathaoide. Bhí mo cheann ina bhalbhán béice i rith an
lae aige agus dá bhfaighinn greim ar an mbuidéal aríst,
bhí sé caite amach an pholl ghorm agam.

Théadh an fear san ag ceannach ghliomach chomh
fada ó thuaidh le Cuan an Fhóid Dhuibh. Bhí umar mór
eile i gClochán i gContae na Gaillimhe aige a choim-
eádadh na gliomaigh dó agus bhí umar eile i gCorcaigh
aige. Bhíodh sé ag teacht go dtí an mBlascaod go dtí 1939.
Chuir an cogadh stop an uair sin leis. Tá sé caillte ó shin,
ach ní fheadar cén scéal ag a chlann mhac é.

D'imíomar lá eile ag tarrac ár bpotaí agus nuair a chuamar comhuisce leis an gCeann Dubh bhí ár gcuid bídh dearmadta ag an dtigh againn, mar bhí deabhadh orainn an mhaidin chéanna agus deineann deabhadh dearmad. Cad a bhí le déanamh? Bhíomar rófhada ón dtigh mar nuair a théimis ar an bhfarraige d'fhanaimis uirthi nó go gcuireadh an réiltín abhaile sinn. Dá mbeadh drochlá ann chaithimis teacht abhaile agus seanbhlas ar ár gcosa againn. Nuair a bhí na potaí tarraingthe an lá san againn cad a ghabhfadh chughainn ná bád pléisiúir agus í ag imeacht ag tornáil ag an dtaoide mar ní raibh miam gaoithe as an spéir agus ní raibh aon mhótar uirthi. Bean óg a bhí á stiúradh agus bhí seibineach fir caite amuigh ina tosach agus stumpa de thodóig ina bhéal aige, fé mar a bheadh ballach ag rón. Chuamar ceangailte dóibh agus d'fhiafraigh an bhean óg de m'athair an raibh aon iasc sliogán le díol aige. Dúirt sé go raibh agus cheannaigh sí trí cinn de ghliomaigh uainn ar scilling an ceann agus thug sí dóthain an dinnéir de bhia dúinn. B'fhearr linne é sin ná an t-airgead, mar bhí béal mo ghoile féin ar leathadh agus ba mheasa mo dhriotháir Mícheál. Ní raibh puinn ocrais ar m'athair, mar bhí sé ag cogaint tobac. Bhí an fear i dtosach an bháid sínte siar fós agus gan cor dá bhuaraigh, gan aon fhocal aige, ach a bhéal fé agus é ag féachaint amach ar an bhfarraige fé mar a bheadh duine i dtaibhreamh tar éis a bheith ar an meisce an oíche roimis sin. D'imíodar uainn ag an dtaoide ó thuaidh chun Inis Tuaisceart agus d'itheamar an fáltas a thugadar dúinn, agus gá againn leis.

Timpeall an tráthnóna siar shéid an lá agus sara rabhamar tagtha go dtí an gcaladh bhí fuil dhearg amach trí mo lámha ó bheith ag rámhaíocht. B'shin é an lá is crua a bhíos ar an bhfarraige an fhaid a bhíos ag broic léi. Bhí cnoic farraige ann agus é béal-fhliuch aneas agus gan trácht ar ghaoith. Cuireadh i ndiaidh ár dtóna trí huaire sinn, ach dheineamar an bheart ar deireadh. Má tá, ní i ngan fhios dúinn féin é. Ní raibh aon ana-luí riamh agam féin le hiascaireacht agus is minic a thugas mo mhallacht di. Tá sé ráite riamh: gach ceard mar mheathann raghaidh sí ag iascach. Is minic a thugamar laethanta fada samhraidh inár dtroscadh agus gan againn ach blúire beag aráin agus thomaimis sa tsáile é chun é scaoileadh siar an góilín. Ba chruaidh an tslí bheatha í do dhaoine óga. Ní raibh aon bhróg ormsa an chéad bhliain a chuas ag iascach ach mo dhá chois thíos sa tsáile agam ar chuma na lachan. Geansaí gorm a bhí orm a bhí déanta ag mo mháthair, á thagairt duit ná raibh aon bhréag ag an bhfear a dúirt: troscadh fada agus easpa na mbróg a dheineann seanduine den bhfear óg. Ach cad a bhí le déanamh againn? Chaithimis dul ar an bhfarraige chun greim a chur inár mbéal. Ní raibh aon teacht isteach eile againn an uair sin ach an méid a thugaimis ón bhfarraige. Dá mbeadh, ní bheadh cuid againn ag broic léi. Nuair a fuaireamar an seans ar í a fhágaint d'fhágamar í agus ní raibh aon uaigneas orainn ina diaidh mar bhí ár gcroí briste aici.

6

Culaitheanna Nua

NUAIR A BHÍ an bhiaiste suas againn bhí ceithre fichid punt déanta againn. Chuas féin agus Mícheál 'on Daingean agus thug gach aoinne againn culaith nua ghorm linn—trí puint an chulaith. Éadach gorm ar fad a bhíodh ar na hOileánaigh an uair sin. Níor mhaith linn aon dath eile ach dath na bhforchan. Chuireamar orainn sa Daingean iad, mar seanbhalcaisí éadaigh a bhí orainn agus theastaigh uainn a bheith deas glan, mar bhíodh muintir an Daingin ag faire i gcónaí ar mhuintir an Oileáin—ní chídís aon dream daoine chomh déanta suas leo. Ní mar sin a bhíodh ag muintir bhun na gcnoc. Bhíodh treabhsair stractha orthu agus glór ag a lasgaí bróg agus gan iad bearrtha i gceart ná i gcóir. Bhíodh tor anso agus ansúd ar a gcorráin, cheal faobhair. Bhíodh fear an Oileáin ana-dhéanta suas i gcónaí agus nuair a ghabhaidís Bun Chalaidh soir bhíodh seasamh ana-dhíreach acu agus iad i ndiaidh a chéile aniar i gcónaí. Le

50

gliceas a bhídís mar sin, chun go dtabharfadh an fear
deiridh rudaí fé ndeara ná tabharfadh an bheirt tosaigh.
Nuair a bhí an dá chulaith nua orainn, chuamar suas go
dtí gréasaí de mhuintir Chonchúir a bhí i mbarra na sráide
móire. Dúirt Mícheál leis péire bróga tairní a dhéanamh
dó agus iad tirim.

'Déanfad, a bhuachaill,' arsa an gréasaí, 'agus mura
mbeidh siad tirim beidh siad fliuch. Níl aon leigheas eile
agamsa ort.'

D'imíomar uaidh agus chuamar síos go dtí tigh na
bpianna agus d'ith nach aon duine againn dhá phí, mar
bhíomar inár dtroscadh ó d'fhágamar an tOileán ar a
cúig a chlog ar maidin. Bhíomar rómhoch ar an mbóthar.
Bhí a rian san orainn. D'fhág san gan marcaíocht sinn
mar ní raibh aoinne beo ná marbh le feiscint ar na
bóithre. Thugamar fé Bhun Chalaidh siar aríst chun dul
go Dún Chuinn agus as san abhaile—ocht míle agus fiche
de bhóthar, agus ocht míle farraige. Thángamar abhaile
agus ár gculaitheanna nua orainn. D'imigh na garsúin
eile lá arna mháireach 'on Daingean ag triall ar chul-
aitheanna. Bhí na pinginí flúirseach tar éis na biaiste,
agus cheapadar ná beadh deireadh caite go deo. Is mór
ag an mbocht beagán. Cheannaigh nach aon gharsún a
bhí ag iascach an bhliain sin culaith. Bhíomar ar mhuin
na muice agus an geimhreadh díomhaoin againn agus
gan aon dul againn dul ar an míntír mura dtiocfadh
Domhnach ana-bhreá ar fad. Bhíomar ag maireachtaint
linn féin gan aon bhaint le haon ní ach ár gcuid féin. Má
thagadh píléir ag lorg airgead madraí orainn d'imíodh

sé á cheal mar níorbh fhada an mhoill ar na seanmhná na
madraí a chur ceangailte astu. Ní rabhamar ag díol aon
phingin leis an Rialtas. Bhíomar neodrach ar chuma na
n-éan.

Tháinig bliain orainn agus ní raibh aon chúram orainn
ach ag déanamh veidhlíní. Gheobhaimis an t-adhmad ar
an bhfarraige a dheineadh dúinn iad agus an glú sa
Daingean. Bhí dhá veidhlín ins nach aon tigh san Oileán,
go mórmhór aoinne a raibh aon chluas ceoil aige. Is mó
step rince a dhein Maidhc Cooney i lár an tí againne
agus Mícheál ag seimint dó. Ba dhiail an baile é tamall
den saol. Dá gcuirfeá do cheann 'on doras ann aon am
den oíche chloisfeá ceol. Ní mór go dtéadh aoinne a
chodladh ann mar bhíodh fear ar an bhfarraige agus fear
ag fiach agus fear ins nach aon áit ag soláthar chun an tí.
Bheadh fear ag nochtadh choiníní tar éis a bheith tagtha
aniar ó Inis Mhic Fhaoileáin agus dhá dhosaen coinín
aige agus fámaire róin chun é chur 'on tsoitheach i
gcomhair na hathbhliana. Bhíodh rince agus amhráin
againn chomh maith agus a bhí in aon bhaile. Thagadh
lucht na tíre isteach ann Domhnaigh sa tsamhradh agus
d'ithidís a bhfaighidís. Deireadh Seán Eoghain le Méiní,
'Seachain, a Mháire. Tá coileáin na tíreach chughat
inniu.'

Tháinig geimhreadh eile orainn agus sé'n rud a
bhíomar a dhéanamh ná fáinní. Peilteáil ar chuma na
dtincéirí i ngach tigh. Beirt nó triúr i lár an tí ag bualadh
leithphingne anuas ar chúl na tua le scian cois airgid.
Bhítí ag gabháil den bhfáinne nó go mbíodh an forra

casta ar an leithphingin. Chuirtí poll i gcluais an rí ansan agus bior iarainn isteach ann agus bhuailtí aríst go mbeadh an fáinne déanta. Thugtaí go Tomás ó Dálaigh iad go gcuirfeadh sé na 'crans' orthu. Bhí sé deas ar an obair sin. Bhíodh trí fháinne ar chuid des na mná agus dhá cheann ar na fearaibh, fé mar a bheadh ar cholúr múinte. Chaithfeá an fhoghlaim seo go léir a bheith ort sara raghfá 'on Oileán. Nó mara mbeadh, chaithfeá tamall a thabhairt ag foghlaim tar éis dul ann.

7

Domhnaigh Gheimhridh

NUAIR A THAGADH na droch-Dhomhnaigh sa gheimh-
readh chaithimis fanúint istigh ón Aifreann mar níorbh
fhéidir linn dul go Dún Chuinn. Is minic ná címis Dún
Chuinn ag an sáile. Bhíodh sáile ag glanadh an Oileáin
chomh maith, ach ní bhíodh aon bheann againn air, ach
go mbeadh ár ndóthain tobac le n-ól againn. Ní chloisfeá
aon chanrán ar aoinne nó go mbeadh gabhair tobac air.
Ba chúng leat a bheith in aon bhaile an uair sin ag
seandaoine, mar bhíodh nach aon mhallacht ar an aimsir
acu agus ar an dtobac chomh maith. Théidís a chodladh
nuair a bhíodh ceal tobac orthu. Nuair a d'éirídís bhíodh
na súile ag dul amach as a gceann le haincis tobac, ar
chuma róinte a bheadh ag bruíon i rith an lae.

Thosnaítí ar an gcoróin ansan Dé Domhnaigh le linn
an Aifrinn a bheith i nDún Chuinn. Deirtí chúig ndeich-
niúr déag, gan trácht ar phaidreacha ina diaidh. Bhíodh
cloig ar mo ghlúine ó bheith luite síos agus cheapainn ná

beadh deireadh leis go deo. Chaithfeá an choróin a rá pé cuma go mbeadh an aimsir nó pé tuirse a bheadh ort. Ní fhéadfá na cosa a thabhairt uaithi. Mura mbeifeá istigh d'fhanfaí leat. Bhíodh ofráil mhór ann Dé Domhnaigh gur dhóigh leat gurb é bíobla Eoghain Bháin a bhíodh á léamh. Bhíodh ofráil an-fhada ag mo mháthair agus seo mar thosnaíodh sí léi:

Ofrálaimid suas an beagáinín urnaithe seo
In onóir agus i gcomhpháirtíocht leis na naoimh agus leis
*   na haspail,*
In onóir na heaglaise agus na bhfíréan,
Ag méadú ghlóire Dé agus leas ár n-anamacha.
Cúitiú ár bpeacaí ag lorg Aifrinn agus geanúireacht
Ins gach áit dá bhfuil sé ar siúl,
Dúinn féin agus do gach peacach bocht
Atá á iarraidh, beo agus marbh.

'Íosa féach orainn,
'Íosa fóir orainn,
A Chríost bí truamhéileach linn,
A Thiarna agus a Shlánaitheoir,
Fé mar thugais slán ón lá sinn
Go dtugair slán ón mbliain sinn.
Go dtugair slán ó mhuir agus ó thír sinn.
Agus pé baol dá ngeobham.

Nár thuga Dia aon ghearrbhás dúinn
Ach bás naofa, bás na bhfíréan.
Ola agus aithrí agus déirc na trócaire

Agus dea-shuan dár n-anam agus d'anamacha na marbh.
A Rí ghil déan díon dár n-anam go léir,
Díbir gach drochsmaoineamh agus an peaca ónár mbéal.
Tabhair an tslí ghlan díreach dár n-anam chun Dé
Sara sínfear sinn síos sa leaba bheag chaol.

A Rí na nAingeal agus 'Athair-Mhic riamh ann tá,
A Mhíchíl Naofa, Ardaingeal, bí farainn ar uair ár
*   mbáis.*
Cabhair agus grásta agus cairde ó Dhia chughainn.
Do chabhair gach lá sé tháimid a iarraidh.
Luímid féd' bhrat, a Mhaighdean ghlórmhar,
A Mháthair Dé agus a réaltan eolais,
A Bhanríon na bhFlaitheas, freagair agus fóir orainn
Agus tabhair leat ár n-anam go cathair na glóire.
Grásta an Sprid Naoimh dár gcroí agus dár mbréithre,
Agus gach achainí dá n-iarrfam
Go ndéana Dia is an Mhaighdean Mhuire é réiteach.

Théimis siar ar an dtráigh bhán ansin ag bualadh chaide.

Tar éis an dinnéir théimis go poll Leaca na Griollachaí.
Bhíodh fothain bhreá againn ann agus radharc amach ar
pharóiste na Spairte agus ó dheas ar Uíbh Ráthach.
Bhíodh na gearrchailí ag siúl siar agus aniar an tráigh.
Bhímis ag imirt chártaí i bpoll Leaca na Griollachaí agus
ansan théimis abhaile ag seimint an veidhlín agus an
mhileoidin. Ní raibh faic sa chuid thoir den mbaile ach
veidhleadóirí, cé go ndeireadh Eoghan Shullabhan ná
raibh aoinne riamh ina veidhleadóir ach leathamadán.
B'fhearr leis féin dorú maith. Amhránaí maith ab ea é,

ach ní chloisfeá é nó go mbíodh sé díomhaoin, suite ag cogaint a chíorach.

Théinn féin agus Paidí Ghobnait ag fiach choiníní Dé Domhnaigh. Domhnach a rabhamar ag fiach ar an dtaobh thiar de Rinn Thaidhg, bhraith na madraí coinín dúinn agus dheineamar fábaire air, ach léim an coinín amach agus b'sheo leis síos an bhfaill agus na madraí ina dhiaidh. Stad an coinín thíos ar fhód mór a bhí sa bhfaill agus chuaigh sé isteach i nid a bhí aige. Ba dhóigh leat ná raghadh an t-éan féin chuichi. Chaith na madraí casadh uaithi mar ní raibh ann ach an fód agus an fharraige ghorm féna bhun.

'Téanam abhaile,' arsa Paidí, 'agus fág ansan an coinín, mar b'fhéidir gur chuige a chuaigh sé ann chun sinn a chur le haill.'

'Tá's ag Dia,' arsa mise, 'gur náire dhúinn dul abhaile agus an coinín a fhágaint mar a bhfuil sé. B'fhearr dhom dul síos agus breith air agus cnagadh a thabhairt sa chúl dó.'

'Ná téire,' arsa Paidí, 'is mó coinín idir sinn agus an tigh. Téanam ort agus gabham lastuaidh soir abhaile.'

'Fan go fóilleach,' arsa mise. Síos liom ar an bhfód agus mo chosa ag imeacht uaim, mar screathan bog talún ab ea an áit. Chuas ar an bhfód agus bheireas ar an gcoinín sa nid agus dheineas scriúta marbh de. Chuireas isteach a chosa ina chéile agus chuireas ar riosta mo láimhe é. Ach níorbh fhéidir liom teacht ón bhfód. Bhíos ansan i mo phríosúnach, ag faire ach cathain a scaoilfí amach mé.

Arsa Paidí, 'Tánn tú ar an bhfód agus fanfair ann. Ach

dá mbeadh aon tseirsín téide agam a scaoilfinn síos chughat bheadh na cosa agat. Fan ann anois nó go n-íosfaidh na cnathacha thú.'

'Ní gá dhuit aon téad,' arsa mise, 'ach caith díot do gheansaí agus scaoil anuas a dhá mhuinchille chugham agus tarraingeod mé féin in airde.'

Chaith sé de a gheansaí agus scaoil sé anuas a dhá mhuinchille. Chuir sé a dhá chois i bhfeac agus tharraingíos mé féin in airde agus an coinín ar mo riosta. Ní rabhas ach leathslí in airde nuair a d'imigh an fód. Chuaigh sé glan amach ar an bhfarraige.

Arsa Paidí, 'Seans a bhí leat nár d'imigh an fód an fhaid a bhís air. Ach is dócha ná raibh sé ceaptha dhuit, mar dá mbeadh bhís bailithe leat.'

Chuireamar dínn agus isteach i Scairt Phiaras Feirtéar. D'ólamar gal ar ár suaimhneas agus an ghrian ag maolú siar i dtreo na Tiarachta, trí mhíle ón gCeann Dubh. Tá tigh solais inti agus triúr fairtheoirí agus radharc ar fharraigí agus ar fhiántas acu. Bhíomar suite sa scairt agus chuimhníos féin ar thinneas fiacaile Phiarais:

Is ainnis mo thaobh ar léithlic caite go lá
Agus fara gach scéal, mo dhéad ag bagairt im' chorrán,
Táim ag achairt chun Dé mar 'sé éisteann le duine ins
*   gach áit,*
É chur cosc leis an ndaol so atá dom' chéasadh fara
*   mar táim.*

Do chuireamar dínn aniar abhaile agus dosaen coiníní an duine againn agus sinn chomh sásta le haon bheirt a bhí ag siúl an tsaoil seo. Nuair a thángamar ar Mhám na Leacan ní raibh faic le clos againn ach ceol agus aoibhneas agus an ghealach ag cur di aníos de dhroim Shliabh an Iolair agus í ag taitneamh anuas ar muir agus ar tír, gur dhóigh leat gur cheart duit siúl ar an bhfarraige. Ba bhreá an saol a bhíodh an uair sin againn ar an oileán a tréigeadh.

Chaitheamar an choróin a rá tar éis teacht abhaile, agus an aguisín,

> *Céad fáilte romhatsa, a Dhomhnaigh bheannaithe,*
> *Céad fáilte romhatsa tar éis na seachtaine,*
> *Corraigh ár gcos go moch chun Aifrinn*
> *Agus corraigh ár mbéal chun na mbréithre beannaithe.*
> *Féach suas ar Mhac na Banartla,*
> *Ar Mhac Dé, mar 'sé do cheannaigh sinn,*
> *Gur leis a rachaimid beo agus marbh*
> *Agus go caitheamh na síoraíochta. Amen.*

Bheadh an oíche fén dtor ansan againn nuair a bheadh an choróin ráite, mar b'í an choróin bun agus barr na hoibre. Is minic a thug sí cabhair dúinn am an ghátair.

8

Na Dúchrónaigh

IS CUIMHIN LIOM lá ar chuaigh na hOileánaigh go Dún
Chuinn ag triall ar bhia aimsir na nDúchrónach. Bhíodh
muintir an cheantair lasmuigh scanraithe roimis na
nDúchrónaigh mar ní ligidís 'on Daingean ná aon áit iad.
Théadh muintir an Oileáin d'fharraige lena naomhóga
agus líonaidís de bhia iad. Ní dheineadh na Dúchrónaigh
faic leo. Bhí a fhios acu gur Oileánaigh iad a bhí ag
maireachtaint dóibh féin. Chuadar go Dún Chuinn ag
triall ar lón mí agus síneadh siar ar feadh tamaill eile den
mbliain ansan. Sin é a dheinimis mar bhíodh eagla an
gheimhridh orainn. An lá so, bhí na Dúchrónaigh rompu
ar ché Dhún Chuinn agus iad ullamh chun dul 'on
Oileán. Bhí fiche duine acu ann, déanta suas in airm agus
mustais dhubh ar nach aon duine acu. Dúirt duine acu le
Maurice Eoghain Bháin go gcaithfidís iad a thabhairt 'on
Oileán agus amach aríst tráthnóna—theastaigh uathu an
tOileán a fheiscint.

'Tá's ag Dia,' arsa Maurice, 'go bhfuil sé chomh maith agaibh glaoch ar mhuintir Dhún Chuinn, mar tá siad díomhaoin. Cuirfidh siad 'on Oileán sibh. Níl faic eile le déanamh acu ach féachaint ar a chéile. Tá ár dhá gceann i dtalamh ag obair againne. Ní i gcónaí a fhaighimid an seans ar an bhfarraige, agus beidh an lá caite sara mbeam ullamh.'

Labhair an fear san leis an gceannurraidh. Ní raibh ó Mhaurice ach go gcuirfeadh sé ceangailte i muintir Dhún Chuinn iad. D'imigh beirt des na Dúchrónaigh an tslí in airde agus thugadar leo muintir Dhún Chuinn. Chaitheadar iad a thabhairt isteach 'on Oileán.

Dhein muintir an Oileáin a gcúram féin i nDún Chuinn agus nuair a thángadar abhaile tráthnóna bhí na Dúchrónaigh rompu agus iad chomh dubh leis an ndarbhdaol. Dúirt Paidí Ghobnait le duine acu gurbh fhearr dó toitín a thabhairt dó. Chuir an Dúchrónach a lámh ina phóca agus thug sé bosca mór toitíní do Phaidí. Bhuail Paidí síos ina phóca é. Níor thug sé aon cheann dúinne mar bhí dúil an mhairbh aige féin iontu. B'fhada roimis sin go bhfuair sé aon bhosca chomh saoráideach. Nuair a chonaic na Dúchrónaigh an obair sin, roinneadar tobac agus toitíní ar an gcuid eile againn, mar bhí an dá shúil againn á gcur tríothu isteach ach cathain a thabharfaidís aon ní cóir dúinn. Ní raibh eagla roimis na gunnaí againn. Ar phócaí na nDúchrónach a bhí ár súil. B'ait le muintir Dhún Chuinn an dánaíocht a bhíomar a dhéanamh orthu.

D'imíodar leo suas fén mbaile. Bhí Neil Phaidí ag an

dtobar ag níochán flainín. D'fhiafraigh sí cá rabhadar ag dul ag fiach, nó an b'ea bhíodar chun na gcaorach ar an gcnoc a mharú. Níor thuigeadar cad dúirt sí mar ní raibh aon Ghaelainn acu ná aon Bhéarla ag Neil. Cheap sí ná raibh a leithéid de theanga riamh ar an saol. Níor chuala sí ag a muintir riamh é agus ní raibh meas madra aici air. Cheap sí gur ag dul ag marú na gcaorach a bhíodar. Ní raibh aon namhaid aici ach an gunna d'fheiscint. Bhí a fhios aici go raibh marú na gcéadta air. Ní eagla cogaidh a bhí uirthi ach eagla na gcaorach. Bhí suas le céad caora ar an gcnoc aici. Sí féin a bhíodh á bhfaire ar na faillteacha. Bhí an ceann corraithe uirthi, mar bhuail taobhán adhmaid sa cheann í agus í beag. Bhí a rian air, d'fhan a dheascaibh sin uirthi nó gur síneadh sa bhosca buí í.

Chuaigh sí ag faire ar na Dúchrónaigh. Lean sí an chos acu nó gur thángadar thar n-ais ón gcnoc. Bhí an scéal cloiste aici mar gheall orthu roimis sin agus d'fhan an scéal san i ngreim ina croí. Bhíos-sa agus Paidí Ghobnait roimpi nuair a tháinig sí ón gcnoc agus d'fhiafraíomar di an raibh aon choinín ag na Dúchrónaigh.

'Bascadh orthu,' ar sí. 'Ní coinín a bhí ós na diabhail úd ach caora, agus mura mbeadh mise dhéanfaidís scrios ar a raibh ar an gcnoc. Ag imeacht le teaspach atá na diabhail. Ná cíonn sibh na cnaipí atá amuigh iontu agus iad chomh gléasta. Mór an trua aon bhaile a bhfuil a leithéidí ann, mar ní dheineann siad codladh lae ná oíche acu.'

Tháinig na Dúchrónaigh go dí an gcaladh aríst gan aoinne a mharú agus níor mharaigh aoinne iad ach oiread, mar níor dheineadar faic as an tslí ach radharc an Oileáin a thógaint isteach fé mar a dheineadh na stróinséirí go léir. Bhí muintir Dhún Chuinn rompu ar an gcaladh agus an dá shúil ag dul amach as a gceann ach cathain a chaithfidís aon philéar leo. Sin é an iontaoibh a bhí acu astu. Bhí na hOileánaigh ana-dheas leo mar níor dheineadar faic as an tslí orainn. Chaith muintir Dhún Chuinn iad a thabhairt amach aríst mar chuir na hOileánaigh uathu féin iad le barr glicis. Nuair a chonaic Neil Phaidí ag fágaint an chalaidh iad, dúirt sí:

'Bá agus bascadh amach oraibh, ach ná báitear aoinne den gcriú. Tá aon áit a bhfuil bhúr leithéidí ann damanta. Nár sheola Dia ná an diabhail i ngaire an Oileáin seo aríst sibh. Nó má sheolann, bá agus bascadh oraibh, gan díth ná dochar dos na hOileánaigh.'

9

An Chéad Dream san Oileán

DEIREADH NA SEANDAOINE gurbh iad muintir Chearnaigh an chéad dream daoine a tháinig 'on Oileán riamh. Bhíodar roimis sin ar thaobh Chuan Fionn Trá, áit a raibh tigh beag ceann tuí acu ann agus falla feidín fé. Bhí ceathrar driothár ann agus bhíodh dhá bhó acu ar thaobh an chuain agus bád beag, agus iasc agus prátaí. Bhuail bean siúil an doras isteach chuchu lá breá agus shuigh sí sa chúinne. Dúirt sí leo gurbh fhearr dhóibh taobh an chuain a fhágaint agus dul go dtí an oileán os coinne Dhún Chuinn isteach, agus go mairfidís go sásta ann mar ná raibh neach beo á áitreamh.

'Má thógann sibh mo chomhairlese anois,' ar sí, 'beidh saol maith agaibh ann, mar ní fheadar aoinne cad tá le teacht anso.'

Dúradar léi ná raghaidís in aon oileán. Nuair nár bhraith an bhean siúil aon fhonn orthu d'imigh sí agus ní fheadair siad cén áit. Chuaigh an ceathrar a chodladh agus lá arna mháireach bhí an tigh titithe orthu agus an fear críonna marbh, slán beo mar a n-instear é.

'Sea anois,' arsa an triúr driothár, 'gur mairg ná tógann comhairle ar mhaithe leis. Dá ndéanfaimis rud ar an mbean san inné bheadh na cosa ag an bhfear eile againn. Ach Dé bheatha grásta Dé; caitheam an áit seo a fhágaint agus tabhairt fén oileán. Ar mhaith linn a bhí sí, pé áit de thalamh an domhain gurbh as í.'

Thángadar 'on Oileán don scríb sin agus thógadar múchán tí ann mar bhí clocha ag baint na gcos díobh. Bhí a ndóthain talún acu agus a ndóthain éisc, mar ní fhágaidís an fharraige ó Luan Satharn. Chuadar ó dheas ar an gcuan ag triall ar an dá bhó agus thugadar isteach 'on Oileán iad. Chuireadar clathacha móra ar na faillteacha timpeall an chnoic ar eagla go raghadh an dá bhó le haill. Cheannaíodar capall agus bhíodh sé i dteannta na mba ar an gcnoc.

Bhíodar ar a dtoil féin ansan mar bhí nach aon ní a d'iarrfadh a mbéal acu ach mná.

Ní raibh acu le déanamh ach sméideadh ar mhná, mar gheofá bean an uair sin ar amhrán maith. Drochshaol ab ea é agus bhí mná ar an míntír chomh flúirseach le bróga fliucha, iad ag teacht trasna ar a chéile istigh sna tithe agus gan aon ní cóir le n-ithe acu. Ní mar sin a bhí ag an dtriúr driothár. Bhíodh bainne siar síos acu sa tsamhradh agus dheinidís im an gheimhridh. Bhíodh soithí éisc leasaithe acu mar bhíodh pollóga flúirseach. Ní bhíodh aon iascach ann nó gur tháinig muintir Chearnaigh. Sin iad a bhraith an chéad bhreac riamh ann, agus an t-uireasa agus an ghannchúis ar an míntír. Nuair a bhíodar bliain san Oileán phós an fear críonna acu bean ó Dhún Chuinn. Ní mór an tathaint a dhein sé uirthi mar bhí a fhios ag a muintir ná raibh sí ag dul in aon drocháit. Ba mhinic roimis sin a d'itheadar féin greim bídh ar an dtriúr ann. Nuair a phós an fear críonna thógadar tigh eile agus bhíodh an triúr acu ag cabhrú le chéile. Bhíodh an talamh timpeall na dtithe curtha acu. Phós an tarna fear acu ansan bean eile ó Dhún Chuinn agus thógadar tigh eile. Do bhí mná eile Dhún Chuinn ansan ag faire ach cé acu a dtitfeadh an crann uirthi dul go dtí an tríú fear. Bhí fhios acu ón mbeirt bhan a bhí ann go raibh saol daoine uaisle acu. Phós an tríú fear acu ar deireadh.

B'shin iad na chéad trí tithe a tógadh san Oileán. Bhíodar ar mhuin na muice ansan, mar bhí tigh agus bean ag gach aoinne acu. Bhí dhá chéad gabhar acu agus chrúdh na mná nach aon mhaidin iad. Ní chrúidís sa lá iad, mar ligidís na mionnáin á ndiúl ach san oíche chuiridís na mionnáin isteach uathu. Bhíodh tarrac ar ghabharfheoil acu, mar mharaídís fo-cheann acu anois agus aríst agus dheineadh na mná cúpla feircín ime. Ní raibh aon chíos orthu an chéad bhliain a chuadar 'on Oileán ach fuaireadh greim maith ina dhiaidh sin orthu. Chaitheadar cíos trom a dhíol. Bhíodh an tiarna talún i mbéal an dorais nach aon tséasúr acu. 'Cíos Dé Luain nó ba Dé Máirt,' a deireadh sé. Bhíodar ag dul go Dún Chuinn lá le bó agus í ceangailte sa bhád beag acu, nuair a ghabh scúnar mór cheithre gcrann chuchu, ag imeacht ag an dtaoide. Stad sí taobh leo agus dúirt an captaen gur

dainséarach an bád beag san agus nár cheart dóibh an
bhó a chur inti—go raibh an tslí rófhada agus an
fharraige ag faire orthu. Dúradar leis ná raibh aon
leigheas acu ar an scéal, ná raibh aon bhád eile acu agus
gur dócha ná beadh.

'Ní bheidh sibh mar sin,' arsa captaen an scúnair.
'Beidh bád mór agamsa chughaibh an chéad turas eile. Is
mór an trua sibh a bheith ag broic leis an mbáidín san.'

I gceann mí ón lá san, tháinig an scúnar go béal na trá
chuchu agus bád mór aige. *Réalt na Mara* a bhí ar an
mbád san agus sé a bhí ar chaptaen an scúnair,
Seosamh mac Cárthaigh, ó chathair Chorcaí. Bhí an triúr
driothár ar a dtoil féin ansan leis an mbád mór. Théidís
ag iascach siar ar an bhFeo—cheithre mhíle dhéag ón
Oileán Mór agus ana-áit phollóg. Bheireadh drochlaeth-
anta orthu ag teacht ón bhFeo ach ní bhíodh aon tor ag
an mbád air mar bhíodh culaith mhaith seolta acu uirthi.
Is mó rón maith a mharaíodar. Bhídís leasaithe buí acu
i gcomhair an gheimhridh. Ní bheadh a bpláta gan
anlann.

Nuair a bhraith muintir Shúilleabháin i bparóiste
Fionn Trá an saol a bhí ag muintir Chearnaigh san oileán
thángadar féin ann agus thógadar tithe. Phósadar mná ó
pharóiste Fionn Trá, mar b'iad ab fhearr leo, toisc aithne
a bheith acu orthu. Tháinig an slua mór ansan aimsir an
drochshaoil, chomh tiubh le druideanna. An drochshaol
a chuir ann iad, mar bhíodh an coinín agus an fiach mara
agus éanlaithe dearga le fáil san oileán, agus a ndóthain
de chnuasach trá. Níor chaill an t-ocras aoinne a bhí ann

an uair sin. Bhí an tOileán fé réim tamall den saol chomh
maith le haon áit. B'fhéidir gur dóigh le daoine atá suas
inniu ná raibh faic riamh ann, ach ná téidís a chodladh ar
an gcluais sin.

Ba leis na Feirtéaraigh na Blascaodaí ó 1290 go dtí
1653 agus iad ar cíos acu ó Iarlaí Deasún. Ní féidir a rá an
raibh daoine ina gcónaí ins na hoileáin lena linn mar is
beag eolas atá le fáil orthu ná ar na tiarnaí gur leo iad. Ba
é an captaen Piaras Feirtéar an tiarna deireanach dá
chine ar féidir a rá go raibh na hoileáin féna smacht.
Crochadh Piaras Feirtéar go fealltach i gCill Áirne sa
mbliain 1653 nuair a briseadh air féin agus ar a lucht
leanúna ag Caisleán an Ruis tar éis do Chorca Dhuibhne a
bheith féna láimh ón mbliain 1641.

10

Scéal Phaidí Rua

CUIMHNEOD GO DEO ar an oíche a raibh Paidí Rua ag
cur síos ar na capaill sí a chonaiceadar in Inis Mhic
Fhaoileáin. Ba bhreá aerach an saol a bhí an uair sin
agam, gan aon chúram ach ag imeacht ó thigh go tigh leis
an ngealaigh agus ag faire ar Phaidí Rua ach cathain a
déarfadh sé aon scéal dúinn. Bhíodh leaba chnaiste sa
chúinne an uair sin aige agus is minic a bhíomar caite
isteach inti, mar ní bhíodh uaidh ach na daoine agus an
chuideachta. Bhíodh na daoine críonna ag iascach agus
ní bhíodh aoinne timpeall na háite ach sinne agus
bhíomar go crosta ann. Is minic a tharraingíomar Paidí
Rua amach as a leabaidh agus d'fhágaimis ansan i lár an tí
é nó go dtagadh a bhean. Ní fhéadfadh sé dul isteach sa
leabaidh mar bhí sé lán de chrampaí ag an aois. Ní raibh
aon déanamh amach ar a aois. Is dócha gurb ea ná raibh
aoinne ina chúram, mar ní bhíodh aon chúram d'aon
aos acu an uair sin. Choimeádaidís ina gceann é, mar

b'fhearr an ceann a bhí orthu ná aon leabhar sagairt.

Dúirt sé oíche linn gur fhág sé an tOileán tráthnóna breá le bád mór, é féin agus seachtar eile agus chuadar siar go hInis Mhic Fhaoileáin ag fiach choiníní. Bhí bia míosa acu, is é sin, min bhuí. Ní raibh aon trácht ar thae ná ar shiúcra acu. Bhíodh súp na gcoiníní acu agus b'fhearr é ná aon tae—tá na daoine atá ar an saol anois lán de *nerves* ag an dtae chéanna. Thriomaíodar an bád i dtráigh na hInise. Bhí an uain ar a dtoil acu agus an aimsir breá, mar thagadh aimsir bhreá isteach go dtí an Nollaig an uair sin, chomh breá agus thagadh sa tsamhradh. Nuair a bhí an bád ceangailte suas acu, thugadar fén tslí in airde, iad féin agus na madraí, agus chuireadar an mhin bhuí isteach go Poll na Mine, mar sin é an tigh a bhíodh acu. Nuair a chuadar go dtí Poll na Mine is ea chonaiceadar na capaill trí Bhá an Daingin aneas agus sáile gléigeal á chur sa spéir acu agus iad ag imeacht gan mheabhair gan chiall. Cheapadar ar dtús gur toithíní b'ea iad, nó go rabhadar ag druidim leo. Sin é an uair a d'aithníodar i gceart iad. D'fhanadar ag Poll na Mine ag féachaint orthu ach cá raghaidís. Bhí eascradh lae agus oíche an uair sin ann ach ní raibh sé ag cur ar na capaill, mar thángadar isteach díreach 'on Chárthaigh agus d'imíodar leo tríd an bhfaill dhubh in airde, fé mar d'imeodh ráth d'éanlaithe dearga. Tháinig iontas agus alltacht ar an hochtar agus dúirt an captaen leo gurbh fhearr dóibh tabhairt fén mbá soir abhaile aríst, nach aon fhiach a dhéanfaidís má d'fhanfadh na capaill san Inis. Dúirt an criú leis go n-imeoidís sin aríst nuair a bheadh an turas san déanta acu, mar gur mhinic roimis sin a bhí a leithéidí san Inis. Chuadar ar barra na trá ach an gcífidís iad—cé ná raibh aon fhonn ar an gcaptaen dul ar barra. Bhí an t-eagla tógtha aige rompu mar bhí na scéalta cloiste aige mar gheall orthu. Nuair a chuadar ar barra na trá sea bhí na capaill Log na bhFiolar suas agus nach aon tsiotar acu fé mar a bheadh ag capaill talún. Luigh an hochtar isteach fé bhollán cloiche i mbarra na trá.

Dá mbeidís ag féachaint ar na capaill nó go ndéanfadh Dia liúir díobh ní raibh aon stad acu á dhéanamh ach iad síos agus suas trí Log na bhFiolar agus aon dath amháin orthu go léir, dath buí. Chaith an hochtar éirí béal na gclár amach dóibh agus tabhairt fé Pholl na Mine agus béal an phoill a dhaingniú go maith le raithnigh, mar bhí an t-eagla orthu go bhfaigheadh na capaill slí isteach chuchu am éigin san oíche agus go maróidís istigh sa pholl iad. Shíneadar tharstu sa pholl agus timpeall am mharbh na hoíche siar, bhraitheadar na capaill tríd an tslí anuas agus nach aon tsiotar acu agus iad ag imeacht le teaspach.

'Bá agus bascadh oraibh,' arsa an captaen, 'muran breá atá mo chroí go dtí mo bhéal agaibh. Ach ní sibh is measa ach mise a d'fhan sa charball so ag éisteacht libh.'

Ní raibh ach an méid sin ráite aige nuair b'sheo leis na guardail ag scréachaigh agus na róinte ag caoineadh go fada bog binn, fé mar bheadh seanmhná a mbeadh an seanduine imithe ar an saol eile uathu. D'éiríodar amach as Poll na Mine agus nuair a d'fhéachadar síos ar an dtráigh, ní raibh faic le feiscint acu ach capaill agus

róinte. Bhí an lá ag breacadh an uair sin orthu agus cuma bhreá ar an maidin agus tónacha gaoithe ag imeacht sa spéir. D'fhanadar i mbéal an phoill nó gur imigh na capaill Dún Scillín ó dheas uathu agus sáile á chur sa spéir acu. Chuadar ag fiach an lá san agus nuair a bhíodar ag teacht go dtí Poll na Mine tráthnóna sea chonaiceadar na capaill aríst i Log na bhFiolar agus gan aon chor acu á chur díobh féin, ach iad ina gcolgsheasamh i lár na háite, fé mar bheadh forchain ar bhínsí. Stad an hochtar ag Barra na Mionnán. Bhíodar ag faire ar a gcroí díchill agus ar deireadh sé an rud a dhein des na capaill ná carraigeacha cloch.

'Sea anois,' arsa an captaen, 'tá nach aon rud feicthe ag ár súile féin, ach is dócha nach é deireadh é. Deirtear go mbíonn an tsúil meallta, ach an diabhal ab iad ár súilene atá meallta.'

Chuadar go dtí Poll na Mine agus chuireadar hocht gcinn de choiníní ag beiriú agus ní rabhadar ach ite acu nuair a chualadar an fothram céanna tríd an tslí síos ag's na capaill agus nach aon tsiotar acu fé mar a bheadh ag leanaí lá seaca.

'Mallacht Mhuiris Pheaidín oraibh,' arsa an captaen, 'má tá capaill déanta aríst díbh, tá capaill eile déanta agaibh dínne, mar táimid ag faire in bhur ndiaidh fé mar a bheadh marcaigh.'

D'fhanadar gan codladh ná suan an oíche sin ach iad isteach agus amach i mbéal an phoill. Dúirt an captaen leo gurbh fhearr dóibh dul ag fiach go dtí lár an lae agus dul soir abhaile ansan dóibh féin mar go mbeadh na diabhail chapaill anocht aríst timpeall agus ná feadar siad cad a dheanfaidís—ná raibh aon iontaoibh ag aoinne riamh as chapaill draíochta agus ná beadh go deo.

Chuadar ag fiach go dtí lár an lae agus nuair a ghabhadar aneas ó Rinn Thóin na gCeannaí sea bhí na capaill suas timpeall an teampaill agus a gceann san aer acu, fé mar a bheadh ag gandal na ngéanna fiáine. Nuair a chonaiceadar an hochtar ag teacht thógadar a dtóin aríst agus thugadar síos fé Thóin na hAirne agus iad ag damhsa, fé mar a bheadh gamhna óga agus a mboilg lán de leamhnacht. Stadadar ar Thóin na hAirne, agus nuair a tháinig an hochtar i ngaireacht méaróige dóibh dhein carraigeacha cloch aríst díobh agus tá na carraigeacha san le feiscint ag an saol fós agus beidh anois an fhaid a bheidh uisce ag rith agus teaspach ar mhná. Tháinig an hochtar abhaile an tráthnóna san agus gan ag aon duine acu ach dosaen coinín—ní ag cuimhneamh ar fhiach a bhíodar ach ar chapaill a bhí ag imeacht le teaspach.

Sin é scéal Phaidí Rua anois, beannacht Dé len' anam.

11

Scéal m'Athar Chríonna

CHUAS FÉIN agus Paidí Ghobnait isteach go dtí m'athair críonna oíche bhreá go raibh na naomhóga go léir ag iascach. Bhí sé an-chríonna an uair sin. Bhí sé féin agus Seán Eoghain suite istigh agus grinneach mhaith thine acu. Ba chuma leo ach a ndóthain tine, prátaí agus éisc, a bheith acu. Fear deas scéalta b'ea m'athair críonna, Micil ó Súilleabháin agus b'fhearr ná san chun amhrán é. Ní raibh a leithéid d'amhránaí i gCúige Mumhan.

'Sea, a Mhicil,' arsa Seán Eoghain, 'eachtraigh dúinn ar na trí oíche a thugais ar an bhFeo ag drochaimsir.'

Thosnaigh m'athair críonna:

'Chuireamar na líonta siar ó dheas ar Inis Mhic Fhaoileáin an oíche sin, ach sara raibh an téad chinn lín teann bhí sé ina ghála gaoithe. Tharraingíomar na líonta aríst agus nuair a bhíodar istigh againn ní fheadaraíomar cá raibh thoir ná thiar orainn, mar bhíomar ár ndalladh istigh sa bhád ag an sneachta. Nár dhalla Dia sinn, nach

74

santúil a bhíonn an peacach. D'fhanamar ar fad ar deic mar bhí eagla an bháis orainn. Cé gur mhinic roimis sin a bheir drochuain ormsa, scanraigh an oíche seo i mo bheathaidh mé, mar ní fheadar cá rabhas ach oiread leis an té nár tháinig ar an saol fós. Chuireamar chuichi na seolta aríst agus chuaigh an fear críonna bhí inár dteannta ar chealgán a dhá ghlúin os mo choinne amach agus bhí sé ag paidreoireacht fé mar a bheadh manach agus farraige agus sneachta ag gabháil anuas sa mhuing air. Ach ní raibh aon nath aige á dhéanamh dóibh, mar bhí coinne lena anam déanta aige agus gach aoinne againn. Oíche thar oícheanta ab ea í agus gan aon mhaolú ag teacht uirthi. Mé féin a bhí ag stiúradh. Bhíomar ag imeacht linn agus na bróinte a d'éiríodh ag tosach an bháid, dheininn amach gur cheart dóibh dhá lomaleath a dhéanamh den mbád, agus gan aon radharc ar thalamh ná ar spéir againn. Bhí méarnáil san uisce agus bróinte farraige ag briseadh. Ní raibh aon oidhre ar an mbád an oíche sin ach carraig chloiche a bheadh i lár na mara agus an fharraige ag gabháil lastuas di. Deirimse libhse nach aon iontas domhsa bheith liath inniu, mar d'fhulaingíossa mo cheart. Bhíomar ag imeacht linn sa dorchadas agus ar deireadh chroith na seolta agus chiúnaigh an fharraige inár dtimpeall. Dúrt féin leo go raibh talamh éigin i ngaireacht dínn, ar an gcuma go raibh an bád ag imeacht. Nuair a chuala an seanduine a bhí ar a dhá ghlúin an chaint sin, d'éirigh sé fé mar d'éireodh madra as an gcúinne agus chuaigh sé amach go tosach an bháid.

"Cabhair Dé chughainn," ar sé. "Tá Ceann Sléibhe ar

ár n-aghaidh amach. Tá sé chomh maith agat an Chloch Soir a choimeád agus beidh fothain na talún ag breith orainn nó go ragham go dtí Poll an Daimh.''

''Ní fhéadfadh Ceann Sléibhe bheith déanta againn ar an ngiorracht aimsire,'' arsa mise, ''ach má tháimid in aon áit táimid in Inis Mhic Fhaoileáin agus is maith an áit sin.''

D'éirigh an chuid eile den gcriú agus chuadar go tosach an bháid agus dúradar liom gurbh é an Feo bhí agam.

''Nára fearr nára measa,'' arsa mise, ''caithíg' amach an t-ancaire agus coimeádfaidh sé greim orainn nó go mbogfaidh an anaithe.''

Nuair a chuala an seanduine gurbh é an Feo bhí againn ní mór ná gur léim sé sa bhfarraige, mar cheap sé go raibh deireadh a shaoil istigh. Dúrt féin leis misneach a bheith aige, nárbh é deireadh an tsaoil fós é. Nó má b'é féin, go mbeadh nach aon duine againn i dteannta a chéile. Bhí an t-ancaire amuigh an uair sin againn, agus an streall a ghabhadh de dhroim an Fheo aduaidh, ba dhóigh leat gurb í an spéir a bhí ag titim, mar théadh sé amach go leathbhá. Thug sé trí lá agus trí oíche ar an gcuma san agus dá gcuirfeá an leabhar orainn n'fheadaraíomar cá rabhamar. Ní raibh aon rud ach go gcímis an Feo. Cheapamar an chéad dá lá gur in Inis Mhic Fhaoileáin a bhíomar, ach i gceann an cheathrú lae tháinig gealadh thuaidh air, cé go raibh an ghaoth chomh láidir is bhí sí i dtosach.

Bhí an seanduine an uair sin caite ar deic agus

thabharfá an leabhar gur príosúnach ab ea é. Bhí
meigeall féasóige air. Nuair a chonaic sé ag gealadh
thuaidh é, d'éirigh sé agus bhain sé croitheadh as a
shlinneáin fé mar dhéanfadh madra lá báistí agus dúirt
sé liom gurbh fhearr dúinn na seolta a chur aríst chui-
chi agus go rithfimis go dtí Góilín Uíbh Ráthaigh é.
D'fhéachas air agus tuigeadh dom go raibh cuma an
bháis ar a dhá shúil agus nárbh fhearr leis rud a d'imeodh
air ná a bhá. Bhí deireadh na foighne caite aige, mar ní
raibh greim ná bolgam dulta ar a chroí, ná ar chroí
aoinne againn, mar ní raibh aon choinne leis an olc
againn. Chuireamar na seolta aríst chuichi agus sé an áit a
thángamar ná isteach go Port Mhig Aoidh in Uíbh
Ráthach. B'fhada ó bhaile ón Oileán é. Cuimhneod go
deo ar na bróinte farraige bhí inár ndiaidh an lá san agus
cuimhneod ar na trí oíche a thugamar ar an bhFeo.
D'fhanamar trí lá eile i bPort Mhig Aoidh ach bhí bia
agus beatha ansan againn mar thug iascairí na háite nach
aon chothrom dúinn. B'fhéidir gur fearr a thabharfaidís
ná thabharfaimis dóibh, ach níl aon áit ná go mbíonn
daoine maithe ann agus bhíodar i bPort Mhig Aoidh leis
an uair sin. Cé gurbh iascairí bochta a bhformhór ní
cháinfeadh san iad. Dá mbeadh an rud acu.

Sea, chun go ndéanfainn scéal gearr de, thángamar
abhaile in gceann an cheathrú lae tar éis na scríbe go léir a
chuireamar dínn. Bhí cóir shlachtmhar go dtí caladh an
Oileáin againn gan aon athrú a dhéanamh ar na seolta,
mar gaoth aneas a bhí ann agus tosach tuile. Níor chuir
an seanduine bocht a bhí inár dteannta a chos in aon

bhád as san amach, mar scanraigh na trí oíche é. Ní mar
sin a bhí agamsa. Sé dheineadar fear ar mo chosa díom,
mar d'imigh a raibh d'eagla i mo chroí na trí oíche sin,
mar bhí coinne leis an mbás déanta agam i lár na mara
agus gan faic do mo chosaint ach an Feo. Tá an Feo fós
ann agus beidh go deo ach ní bheadsa ann agus an
diabhal an fearr liom a bheith, mar chonac mo dhá
dhóthain den saol. Chuireamar suas leis agus táimid fós
ann agus b'fhéidir go mbeimis tamall maith eile ann. Ní
fheadar aoinne cén uair ná cén t-am, ach bí ullamh i
gcónaí.'

'Faid ar do shaol,' arsa Seán Eoghain leis an scéalaí,
'agus ná raibh faid an méid sin de luíochán bliana ort ach
an fhaid a bheir i do chodladh.'

Sin é scéal m'athar chríonna anois agaibh agus is mó lá
atá sé féin agus Seán Eoghain ag tabhairt an fhéir,
beannacht Dé lena n-anamacha.

12

Fear an Tobac

SCÉAL a tharraingíonn scéal. Dá ndéarfadh seanduine nó
seanbhean ceann duit thiocfadh sé cinn ina dhiaidh.
Ins a' tslí dhuit go raghfá in achrann sa deireadh iontu,
mar bheidís ag teacht chomh tiubh le ceathanna báistí
aniar agus aneas ort. Bhí fear san Oileán fadó agus
d'ólfadh sé léine chun tobac. Ní raibh aon luibh eile ag
baint radharc na spéireach de ach é. Ní mór ná go
n-imeodh sé nochtaithe ach a dhóthain tobac a bheith
aige. Is minic a dúirt sé go maródh sé duine ar lán na
pípe. Bean ó Dhún Chuinn a bhí pósta aige, agus is minic
a dúirt sí leis an tobac a chaitheamh uaidh mar gur mó
bhí sé ag cuimhneamh air ná ar Dhia.

'Mhuise, a bhean bhocht,' a deireadh sé, 'nach é Dia a
chuir ann é, pé diabhal a thógfaidh as é. Ach sé an rud is
measa linn gan ár ndóthain a bheith againn de, mar beidh
sé á ól ag diabhail nár tháinig fós ar an saol.'

Pé scéal é tháinig an drochaimsir roimh Nollaig bliain

agus ní raibh aon ghal ag aoinne ar an mbaile. D'aith-neofá ar Sheán é, mar bhíodh nach aon diabhal agus nach aon ghlam aige agus b'fhearr dhuit léim le Cuas an Ghearra ná labhairt leis, mar bhíodh uisce ag teacht óna fhiacla le haincis go dtí an dtobac. Dúirt a bhean oíche leis a mhún a dhéanamh síos an phíp agus í chaitheamh uaidh, mar go raibh an tigh damanta aige lena chuid eascainithe. D'éirigh sé ón gcúinne agus thug sé chuichi leis an bpíp ach bhuail sé an corcán a bhí ar an dtine agus prátaí ann.

'Go leana do cheard choíche thú,' arsa an bhean leis agus d'imigh sí an doras amach agus faid bonn láimhe de phus uirthi.

'Imeacht gan teacht ort,' arsa Seán, 'pé rud a dhéanfadsa gan bean agus gan tobac, más chun a thuilleadh aincise atánn tusa in aon tigh liom.'

D'imigh an bhean léi, soir go dtí tigh Cháit ní Bhriain agus nuair a bhí sí leath slí soir bhuail bean ag Bóithrín na Marbh léi agus d'fhiafraigh di cá raibh sí ag dul a leithéid d'oíche.

'Táim ag teitheadh ón bhfear atá agam,' ar sí, 'mar tá aincis tobac air agus ba dhóbair go maródh sé leis an bpíp mé, ach b'é leonú Dé gurb é an corcán a bhuail sé léi.'

'Téire abhaile anois aríst,' arsa an bhean, 'agus seo blúire tobac duit agus tabhair dó é le hanamacha na marbh. Mar is mise do mháthair agus táim caillte i nDún Chuinn anocht, agus abair le d'fhear an tobac san a ól ar son anamacha na marbh.'

Nuair a chuala sí gurb í a máthair í rith sí agus nach aon

scréach aici, nó gur bhain sí amach an tigh aríst. Chuala an mac ag teacht í agus bhí sé ina coinne sa bhuaile, ach níor chorraigh an fear as an gcúinne ach oiread le caora go mbeadh scamall uirthi. Thug an mac isteach an mháthair agus d'fhiafraigh sé di cad a bhí uirthi go raibh sí ag gol.

'Mhuise, mo chroí thú istigh,' ar sí, 'tá mo mháthair caillte i nDún Chuinn agus ní cheadóinn ar an bpluga tobac atá i mo phóca é, mar ba mhaith an mháthair dom í nuair a bhíos i mo leanbh, ambaiste.'

Nuair a chuala an fear istigh go raibh an tobac ina póca d'éirigh sé as an gcúinne agus dúirt sé léi suí síos agus an tobac a thabhairt dó chun go nguíodh sé le hanamacha na marbh, mar gur chuige a bhí an tobac ann. Thug sí dó é agus ar sé,

'Cabhair Dé agus a ghrásta chughainn, dá gcaillfí aon dlús amuigh acu ní bheadh aon cheal tobac orainn, ach nár thuga Dia aon tobac díobhálach dúinn. Agus tá sé chomh maith agatsa, a bhean bheag, cuimhne do mháthar a chaitheamh as do cheann, mar bhí fiacla go maith aici sara cailleadh í agus suigh síos anois duit féin agus ith do chuid prátaí breátha tirime agus do dhing de phollóig mhaith aniar ón bhFeo agus má bhíonn an lá amáireach breá ragham 'on tsochraid le cúnamh Dé agus cuirfeam do mháthair go galánta mar bean mhaith ab ea í an fhaid a bhí sí ar an saol so. Ach de réir dealraimh go bhfuil sí chomh maith ar an dtaobh eile, mar tá rud déanta aici nár dhein aon mharbh riamh. Tá sé chomh maith agat uisce na bprátaí a chaitheamh ar an dtaobh

amuigh den doras, mar is nós é atá ar an mbaile seo riamh
nuair a chloistear go mbíonn duine caillte ar an míntír.'

Dhein sí amhlaidh agus d'itheadar na prátaí agus ní
rabhadar ach ite acu san am gur bhuail fear ón mbaile
isteach chuchu ag bothántaíocht fé mar ba ghnách leis.
Bhí sé istigh tamall agus ní raibh aon fhocal ag bean an tí
ach í sa chúinne ag sileadh na ndeor. D'fhiafraigh sé di
cad é an bhuairt aigne bhí uirthi, nó an b'amhlaidh a bhí
aon tinneas coirp uirthi.

'Mhuise,' ar sí, 'tá tinneas mo dhóthain orm, mar tá mo
mháthair caillte i nDún Chuinn anocht.'

'Cé dúirt an scéal san leat?' arsa an fear. 'Cheapas ná
raibh aon bhád ar an míntír le seachtain, nó an b'ea
taibhríodh duit é?'

'Ní hea,' ar sí, 'ach chonac thoir ag Bóithrín na Marbh í
agus thug sí pluga tobac dom chun go n-ólfadh Seán le
hanamacha na marbh é.'

'Léan náire ort,' arsa Seán léi, 'nach breá nach gá aon
scéal a fhiafraí díot. Is gairid le dul ormsa do bhlúire
tobac chun a bheith á chur le hanamacha na marbh, agus
mura mbeadh tú bheith dearóil go maith, choimeádfá do
bhéal dúnta. Tabhair dom do phíp,' ar sé leis an bhfear a
tháinig isteach, 'go gcuirfead cáithne beag tobac duit
inti.'

'Mhuise,' arsa an fear, 'ní haon fhear mór tobac mé,
ach mar sin féin guífead le hanamacha na marbh. Sé an
ceart é, mar beidh ár n-anam féin ag brath le guí fós.'

'Má bhíonn,' arsa Seán, 'ní mór a ghuífeadh leis.'

Pé scéal é, i gceann seachtaine chuaigh bád go dtí an

míntír agus sé an chéad scéal a bhí roimpi go raibh an bhean san curtha le seachtain. Deireadh Seán Mhichíl go gcíodh an bhean san nach aon duine muintire a chailltí léi, mar bhíodh sí i dteannta na bpúcaí. Phós an mac a bhí aici san Oileán agus deirtí go mbíodh sé i dteannta na bpúcaí, mar bhíodh fios ar nach aon rud aige. Is minic a shábháil sé iascairí ón bhfarraige drochoícheanta, mar bhíodh sé ar nach aon spor rompu agus deireadh sé leo dul abhaile, mar go raibh drochfhuadar fén oíche. D'fhéadfadh a leithéid a bheith i gceist, mar bhí mórán samhlaoidí ann ná fuil anois.

13

Na Coastguards

IS MÓ SCÉAL a bhí ag Tomás ó Cearnaigh ach bhí sé ina
dhonán críonna gan aird nuair a chonacsa é agus an
luadar caillte aige agus tá sé ráite riamh nuair a chaillfir
an luadar go gcaillfir an bhuanaíocht. Bhí tigín beag tuí
aige in aice le púicín Sheáin Mhichíl agus is mó oíche a
chaitheas istigh ina theannta féin agus i dteannta Cháit.
Daoine breátha nádúrtha a bhí an uair sin ann agus ba
dheacair d'aoinne aon leathcheann a bheith air i ngan
fhios dóibh. Raghaidís fén roth chun cabhartha le chéile.

Is minic a chuala Tomás á rá go raibh Coastguards san
Oileán nuair a bhí sé féin ina fhear óg. Tá a fhios agam go
maith cá rabhadar. Bhuailfinn mo mhéar anuas anois
duit ar an áit mar is mó geábh a thugas soir agus siar
thairis—ach tagann deireadh le gach ní ach le grásta Dé.
Tigín beag tuí bhí ag's na Coastguards ar an Oileán agus
a bhinn ceangailte de thigh Phaidí Shéamais agus bhíodh
amhais an bhaile isteach agus amach chuchu. Ní raibh

ann ach triúr acu agus de réir mar chloisinn Tomás ag cur síos orthu, ní rabhadar le moladh. Bhí an drochbhraon iontu.

Báid mhóra a bhíodh ag's na hOileánaigh an uair sin agus pé lá bhídís ag lorg raice bhíodh na Coastguards ag faire go dian orthu, ar eagla an diabhail go n-imeodh aon ní i ngan fhios dóibh agus go mbeidís ar an scríb. Bhí Tomás agus a chriú lá ag lorg raice siar chun Inis Tuaisceart agus sara raibh an tráthnóna tagtha orthu bhí an bád síos go slait le cornaí cadáis acu. Bhíodh céad meáchain ins nach aon chorna acu agus fonsaí trasna ar a lár chun an cadás a choimeád le chéile, mar rud is ea cadás a d'imeodh ina bhoighreán ar an bhfarraige mura mbeadh ceangal éigin air. Nuair a bhí an déanaí agus an dorchacht ag teacht orthu, thugadar fén mbá aniar abhaile. Le linn dóibh teacht ar an gcaladh bhí muintir an oileáin rompu agus dúradar leo deabhadh maith a dhéanamh leis an gcadás agus é a chur i bpoll éigin mar go raibh na Coastguards ar an dtír amuigh ó mhaidin agus gur gearr nó go mbeidís ag teacht agus má bhéarfaidís ar an gcadás acu go dtógfaidís é. Bhí bean Thomáis ar an gcaladh agus dúirt sí le Tomás ceann des na cornaí a ardú thiar uirthi agus go gcuirfeadh sí i bpoll i gClaiseacha an Dúna é san áit ná gheobhadh aon Choastguard ná aon phíléir ina mbeathaidh amach é. Sin é mar bhí, d'ardaigh na fir corna mór in airde uirthi fé mar d'ardóidís ar chapall é agus d'imigh sí an tslí amach leis agus níor dhein sí aon stad nó gur chuir sí i bpoll i gClaiseacha an Dúna é. D'imigh Tomás ina diaidh agus corna eile thiar in airde i gcuing a mhuiníl air agus ghabh sé laisteas siar den Oileán. Nuair a chuaigh sé chomh fada le Log na gCapall thit sé féin agus an corna agus buaileadh thíos i gCladach na gCapall iad. Briseadh a chromán fé, slán mo chomhartha, agus d'fhan sé ansan agus an corna anuas air. Bhí an chuid eile des na cornaí curtha i bpoll ag an gcriú agus bean Thomáis tagtha ó Chlaiseacha an Dúna tar éis a cúram a bheith déanta aici féin, ach ní raibh aon tuairisc ar Thomás, mar bhí sé i ngéibheann sa chladach agus gan faic le clos aige ann ach glór na gaoithe a bhí ag séideadh tríd in airde agus fuaim na toinne lena sháil agus gan aon dul aige ar theitheadh uathu.

Tháinig na Coastguards am éigin san oíche agus b'ait leo gan aon fhear a bheith ar an gcaladh rompu chun an bháid a chur ón uisce. Chuaigh duine acu go dtí's na tithe ach an bhfaighidís aon fhear, ach mo mheath agus mo bhrón, bhí a raibh d'fhearaibh ar an mbaile imithe fén gcnoc ar thuairisc Thomáis, cé ná raibh aon fhios an uair sin acu cén phluais go raibh sé. D'fhág na Coastguards an bád in imeall an uisce. Ní fhéadfadh triúr acu féin í a chur suas, mar bád trom ainnis ab ea í. Thug muintir an bhaile an oíche sa chnoc agus níor fhágadar poll ná póirse ón ngob go dtí bun na páirce ná gur chuardaíodar do Thomás, ach níor chuadar chomh fada le Cladach na gCapall chuige, mar bhí an oíche ródhiamhair. Chasadar abhaile aríst agus nuair a thángadar chomh fada le barra an bhóthair, bhí bean Thomáis ina gcoinne ach an raibh aon tuairisc ar an gcaonaí acu ach ní raibh. Chas sí a

holagón ansan agus chuaigh sí ag mallachtú ar na
Coastguards agus dúirt sí leis na fearaibh an bád a bhí in
imeall an uisce acu a scaoileadh le sruth an bhealaigh,
mar go raibh mírath Dé tarraingthe anuas ar an oileán
acu ó thángadar ann. Dúirt na fearaibh léi dá scaoilfidís
leis an mbád gur mheasa ná san a bheadh an scéal acu,
mar go dtógfaí istigh ar a leabaidh i lár na hoíche iad agus
go gcuirfí greim lena saol orthu. Níor dhein an chaint sin
aon mhaolú ar bhean Thomáis agus pé cuimhneamh a
bhí ar Thomás aici, thug sí féin fén gcaladh agus scaoil sí
le bád na gCoastguards an bealach ó dheas. Bhí an méid
sin déanta aici i ngan fhios d'aoinne ar an mbaile.

Tháinig sí abhaile tar éis an léirscrios agus chuir sí na
fearaibh sa chuardach aríst ach an bhfaighidís Tomás,
mar pé uaigneas a bhí i ndiaidh Thomáis uirthi ní raibh
aon uaigneas i ndiaidh bhád na gCoastguards uirthi, mar
ba namhaid di b'ea í. D'imigh na fearaibh leo fén gcnoc
agus fuaireadar Tomás thíos i gCladach na gCapall agus
a chromán ar sileadh leis. Thugadar leo aníos as an
gcladach é agus gan ann ach an dé agus bhí an oíche
mhór fhada gafa thríd agus gan aoinne i ngaireacht
scread asail dó mar bhí an oíche ródhiamhair chun dul
mar a raibh sé. Nuair a thángadar go dtí's na tithe bhí na
Coastguards ag imeacht le buile agus cheanglófaí daoine
ba mhó ciall ná iad. Dúradar leis na fearaibh gurb iad a
scaoil a mbád le sruth agus go ndíolfaidís luath nó mall as.
Dúirt na fearaibh leo ná raibh lámh ná ladhar acu féin ina
mbád mar gurb é an t-uisce a thóg uathu í. Bhí bean
Thomáis ar an láthair agus dúirt sí go neamhbhalbh leis

na Coastguards gurb í féin a scaoil leis an mbád agus go
ndéanfadh sí an dála céanna leo féin mura bhfágfaidís an
t-oileán tapaidh ambaiste. Chuir na Coastguards díobh
abhaile ón oileán agus seanbhlas ar a gcosa acu agus ón lá
san amach níor tháinig aon Choastguard go dtí an Oileán
a Tréigeadh, ná ní dócha go dtiocfaidh anois.

14

An Gamall a Tháinig 'on Oileán

SA tSEANSHAOL FADÓ, isteach fén Oileán is mó a thugadh daoine a n-aghaidh chun maireachtaint, mar ná bíodh lasmuigh ach an t-ocras dubh, go mórmhór ag an té ná raibh ag dul ar an bhfarraige, ach b'é an fear fuar an fear ná téadh ar an bhfarraige an uair sin, mar is ea bhíodh sé ag brath ar na comharsain chun é a choimeád ina bheathaidh. Pé scéal é, bhí gamall fir i nDún Chuinn an uair sin agus ní thabharfadh aoinne ar an bhfarraige é, mar fear gan mhaith ab ea é, ach tuigtí dó féin go raibh sé chomh maith le Fionn. Ní raibh sé pósta chuige an uair sin agus chuala sé go raibh bean san Oileán agus ná raibh aoinne sa tigh ach í féin agus go raibh sí ag lorg fir. Sin é mar bhí, chuir sé an cheist ar fhear ón Oileán mar gheall uirthi agus dúirt sé leis a rá léi go bpósfadh sé féin í.

'Tá go maith,' arsa fear an Oileáin, 'tabharfadsa an freagra san chuichi agus tabharfad í féin chomh maith

chughat, mar tá aon fhear maith a dhóthain d'aon bhean
aon lá.'

'B'fhearr liom í d'fhanacht istigh,' arsa fear Dhún
Chuinn, 'mar níl tigh ná treabh agamsa chun í thabhairt
ann agus tá tigh aicisin ar an oileán agus dhéanfadh san
sinn, mar bheinnse ag iascach dá bhfaighinn an seans
ann.'

'Tá tigh beag deas aici,' arsa fear an Oileáin, 'agus bean
mhaith oibre is ea í féin agus níl aon locht uirthi ach gan
aon fhear a bheith aici.'

Sea, bhí fear an Oileáin ag cumadh dó mar gheall ar an
mbean, mar bean ab ea í nár dhein lá oibre riamh ná aon
ní eile ach oiread. Bhí sórt éigin neirbhíse uirthi agus bhí
an rud céanna ar fhear Dhún Chuinn. Mura mbeadh go
raibh, gheobhadh sé bean i nDún Chuinn chomh maith le
haoinne eile a bhí ann, mar bhí bean ag gach aoinne a bhí
ábalta ar a threabhsar a chur air féin an uair sin. Pé scéal
é, dúirt fear an Oileáin an scéal le bean an Oileáin mar
gheall ar an stracaire ó Dhún Chuinn. Agus dúirt sí leis
go raibh sí sásta, ar choinníoll é dhul ag iascach.

'Ambaiste,' arsa fear an Oileáin, 'ná féadfair é sin a rá
leis tú féin? Ná fuil fhios agat, mura mbeadh é bheith
chun dul ag iascach, nach 'on oileán a thiocfadh sé, ach go
háirithe?' Dúirt fear an Oileáin an scéal le fear Dhún
Chuinn agus dúirt sé go ndúirt sí go gcaithfeadh sé dul ag
iascach, mar ná beadh aon tslí bheatha eile aige ach an
t-iascach.

'Ná fuil fhios agat,' arsa fear Dhún Chuinn, 'gurb shin
é an rud atá do mo thabhairt 'on oileán? Ach is dócha ná

faighead aon bheart ann ach oiread le bheith i nDún
Chuinn. Is dócha gur dul ón dteas go dtí an bhfuacht
dom a bheith ag dul ann.'

'Ní gá dhuit aon cheist a bheith ort,' arsa fear an Oileáin,
'má tá aon eolas ar an bhfarraige agat. Ach mura bhfuil
beir i do bhanbh aonair ann.'

'Dhera, cén t-eolas a bheadh agam?' arsa fear Dhún
Chuinn. 'Cá bhfuair an chéad dhuine riamh eolas uirthi?
Nuair a bheadsa tamall uirthi beidh eolas mo dhóthain
agam, mar is as an obair a fhaightear an fhoghlaim.'

Sin é mar bhí, deineadh an cleamhnas agus ní mór an
déanamh a bhí air ach éirigh agus téanam liom. Pósadh
fear Dhún Chuinn agus bean an Oileáin agus thángadar
abhaile go dtí an Oileán an tráthnóna san agus iad ag
féachaint chomh maith le haon lánú a ghabh Barra an
Chaladh aníos riamh. Ní raibh aon phósadh orthu, mar
ní raibh faic ag fear Dhún Chuinn a chuirfeadh aon
phósadh orthu mura dtabharfadh aoinne eile dó é. Ach is
dócha nár bheag leo a raibh tugtha acu dó roimis sin. Bhí
tigín deas cluthar san oileán roimis, ach má bhí ní mór an
chríoch a bhí ar an mbeirt acu chun é a choimeád i
bhfearas ceart. Níor mheasa duine acu ná an tarna duine,
ach pé olc maith a bhí an bhramlóg mná b'fhearr í ná
Donncha, mar ní raibh Donncha ábalta ar a threabhsar a
chur air féin. Bhí an t-am ag imeacht, ach má bhí ní raibh
aoinne ag tabhairt Dhonncha ag iascach, ná aon chall mór
acu chuige. Bhí focal na faire fachta acu ó mhuintir Dhún
Chuinn mar gheall air. Bhí sé bliain ar an oileán agus gan
a chos curtha isteach in aon bhád aige, ná aoinne ag

glaoch air ach oiread. Ach ceann des na laethanta, chuaigh a bhean ag caint le fear de mhuintir Chearnaigh mar gheall air agus gurbh fhearr dó é a thabhairt ag iascach. Bhí gaol ag an mbean le Mac í Chearnaigh. Dúirt Mac í Chearnaigh léi go dtabharfadh, má bhí aon mhaith ann, ach mura raibh go gcaithfeadh sé i bhfarraige é.

'Tá's ag Dia,' arsa an bhean, 'nach fearr liom rud a dhéanfair leis, mar ná fuil aon chúram agamsa dó, ach a bheith ag féachaint ina stualainn ar thaobh an tí air. Ní hé Dia a sheol chugham é, mar bhí rud éigin agam á fháil ós na comharsain nó gur tháinig sé 'on tigh chugham. Ó tháinig an diabhal ní bhfuaireas faic, ná ní bhfaighead an fhaid a bheidh sé ar thaobh an tí agam.'

Thug Mac í Chearnaigh ag iascach an lá san é agus sé an áit a chuadar ná siar go hInis Tuaisceart. Bhí fear Dhún Chuinn ar bhonn an tsaighin acu nuair a bhíodar á tharrac, ach san am is go raibh an saighean tagtha 'on bhád bhí sé curtha in achrann i ngabhal a chéile ag fear Dhún Chuinn.

'Sea,' arsa Mac í Chearnaigh, 'is olc an t-iascaire thú agus b'fhearr dom mo mháthair ar bhonn an tsaighin ná thú, ach ní tú is measa ach mise thug liom thú, mar dá mbeadh aon mhaith ionat bheifeá ag iascach sa bhaile gur thángaís as, ach an rud a bhíonn bíonn sé. Sea,' ar seisean leis a' gcriú, 'tá sé chomh maith againn an bád a scaoileadh soir abhaile agus dul agus an saighean a réiteach tar éis an ainmhí fir seo.'

Bhí seacht nó hocht de chéadtaibh éisc sa tsaighean

agus iad casta tóin thar ceann i lár an bháid. Thángadar ar an gcaladh agus tharraingíodar amach as an mbád an saighean agus ródáladar an bád amuigh ag Oileán an Ancaire agus thosnaíodar ar an saighean a réiteach. Bhí gamall Dhún Chuinn os a gcoinne amach agus ní fheadar sé cad a bhíodar a dhéanamh ach oiread le bó. Ar deireadh d'fhiafraigh Mac í Chearnaigh de an bhféadfadh sé aon bhreac a bhaint as an saighean. Dúirt sé leis ná féadfadh, ach go dtástálfadh sé é. Thástáil agus sé an chéad rud a chuaigh ina mhéir ná clipe éisc agus tharraing sé an lámh uaidh agus chuir sé de an tslí amach agus a lámh thiar ina bhéal aige, fé mar a bheadh buidéal agus píp ag leanbh.

'Iarraimse ar Dhia,' arsa Mac í Chearnaigh, 'an mhéar go gcaillfir ón stumpa agus má fhaighim i ngaire an chalaidh go deo aríst thú is mé an sagart uachta a bheidh ort, muran tú an crannlaoch gan chríoch gan aird.'

Réitíodar an saighean agus nuair a bhí sé réitithe glan acu roinneadar an t-iasc, roinnt ann d'fhear na méire. D'fhágadar ar an gcaladh é mar bhí sé siúd imithe abhaile agus nach aon scréach aige. Nuair a chuaigh Mac í Chearnaigh abhaile dúirt sé leis dul ag triall ar a chuid éisc a bhí ar a gcaladh sara mbeadh sé ite ag's na caobaigh.

'Ní raghad,' ar seisean, 'mar tá an iomada pian i mo mhéir. Tá an chlipe idir fheoil agus leathar istigh inti.' Fuair Mac í Chearnaigh an rásúr agus bhain sé an chlipe as a mhéir agus an scréach a dhein sé chloisfeá thiar sa Tiaracht é.

'Sea anois,' arsa an Cearnach, 'tá an chlipe bainte as do mhéir agus tá do chuid éisc ar an gcaladh agus téire ag triall air. Ní haon bhreac eile a mharóir go deo aríst, mar nach fear i mbád ná i dtráigh tú.'

D'imigh Donncha ón Oileán. Ní raibh aon chúram i dteannta na madraí uisce aige, mar ná seasódh aoinne leo ach fear iarainn.

15

An Collach Dubh agus an Drochlá

Is MÓ LÁ agus oíche Shathairn ann ó chas an *Collach Dubh*
ó bhéal Aille Cliath i nDún Chuinn. Bád mór ab ea an
Collach Dubh agus chaithfeadh hochtar d'fhearaibh
mhaithe oilte bheith á leanúint—go mórmhór nuair a
bhíodh an drochlá ann. D'fhág sí an tOileán maidin chun
dul ag triall ar an sagart do dhuine críonna bhí ann.
Gaoth aniar aduaidh a bhí ann agus ceathanna sneachta a
bhainfeadh na cluasa d'asal. Chuireadar ar snámh í agus
fear de mhuintir Chearnaigh an captaen a bhí uirthi.
Bhí triúr de mhuintir Shé inti agus beirt de mhuin-
tir Shúilleabháin agus beirt de mhuintir Chatháin.
Cuireadh i bhfearas na seolta uirthi agus bhí sí ag
imeacht léi agus uisce á thógaint aici le barr siúil, nó gur
chuadar ar Dhroim na gCúrán. Dúirt an captaen ansan
leo na seolta a leagadh, mar go raibh na cúráin ag
briseadh ó ghrinneall na mara, agus go raghaidís ar
scáth na Carraige Duibhe uathu. Sin é mar bhí acu,

95

leagadar na seolta agus chuadar i bhfothain na Carraige
Duibhe agus ní fada a bhíodar ann san am gur réab
cúráin ó ghrinneall na farraige agus chuadar briste suas
go dtí Bléin an Dúna agus an *Collach Dubh* ar scáth na
Carraige Duibhe uathu.

Feicisí móra is ea na cúráin agus tugann siad leathuair a
chloig sara mbriseann siad i ndiaidh a chéile, ach fanann
a ndeascaibh timpeall orthu nó go mbriseann siad aríst.
Bhí Faill Cliath imithe bán gléigeal agus gan aon tseans
go mbuailfeadh an bád inti, mar drochchaladh ceart ab
ea í. Bhí muintir Dhún Chuinn ar barra agus iad ag faire
dos na hOileánaigh ach an bhfaighidís aon lon chun
scaoileadh isteach. Bhí na hOileánaigh féin ag faire ar na
cúráin mar is mó d'eolas a bhí acu orthu. Thugadar uair a
chlog ar scáth na Carraige Duibhe agus an Charraig
ag briseadh na farraige ar an dá thaobh dóibh agus
ceathanna fuara sneachta ann, mar timpeall Lae le Bríde
a bhí ann, dúluachair na bliana. Fuaireadar seans éigin ar
deireadh agus d'fhágadar an Charraig Dhubh agus
thugadar isteach fén Oileán aríst mar bhí a fhios acu ná
déanfaidís an beart i bhFaill Cliath. Ní fada isteach a
bhíodar nuair a réab na cúráin aríst agus tháinig caipín ar
bhanc phiaclach.

'Ní hiad na cúráin is measa dúinn,' arsa an captaen leo,
'ach an banc, mar tá caipín tagtha air chun briseadh agus
dá mbeadh na seolta aríst againn uirthi, mar is iad is
tapúla, go rithfeadh sí isteach leo agus dá mbeimis i
dteorainn Fhaobharcharraig bhí na cosa againn.' Chuir-
eadar na seolta aríst uirthi agus dheineadar Bealach an

tSeanduine ó dheas léi agus í ag imeacht gan chiall ag an stoirm.

'Níl aon rud is fearr dhúinn a dhéanamh anois,' arsa an captaen, 'ná í scaoileadh fén nDaingean, mar tá cóir shlachtmhar againn agus gheobham an sagart sa Daingean má thagann sé inár dteannta.' Thoiligh an criú leis agus ríféaladar na seolta agus scaoileadar léi ó dheas agus san am is go rabhadar ag Fiach an Daingin bhí an ghaoth aistrithe siar ó dheas orthu. Dheineadar an cuan suas léi agus san am is go rabhadar ar chaladh an Daingin bhí eascradh lae agus oíche ann. Dúirt an captaen le beirt acu dul ag glaoch ar an sagart agus gan aon mhoill a dhéanamh agus dá mbeidís i mbéal an chuain aríst, go mbeadh siota fairsing abhaile acu. D'imigh an bheirt agus chuadar ag glaoch ar an sagart, ach má chuadar, níorbh fhada go rabhadar thar n-ais aríst agus an sagart ina dteannta. Ní haon phiúnt pórtair a d'óladar ná aon chuimhneamh acu air. Bhí an oíche go domhain an uair san ann.

'Sea anois,' arsa an captaen leis an sagart, 'an bhfuil aon drochmhisneach ort tabhairt fén mbá mhór fhada so siar?'

'Níl,' arsa an sagart, 'chomh fada is ná fuil aon eagla oraibh féin.'

'Tá go maith,' arsa an captaen leo, 'bíodh nach aon fhear ar bord agus dá mbeimis ag Fiach an Daingin aríst ní fada bheadh sí seo ag rith siar.' Chuireadar díobh aríst agus chaitheadar rámhaíocht go dtí Fiach an Daingin, mar bhí an ghaoth crústaithe ina gcoinne. Nuair a chuadar go dtí an bhFiach, chuireadar na seolta aríst chuichi agus dúirt an captaen leis an sagart dul amach fén gcábán a bhí i dtosach an bháid, mar go raibh an iomad farraige ann agus go mbeadh sé fliuch. Chuaigh an sagart sa chábán agus bhí an *Collach Dubh* ag imeacht le buile siúil agus farraige aici á raideadh ón dá thaobh nó gur bhain sí amach caladh an Oileáin gan aon aistriú a dhéanamh ar aon tseol, mar bhí an ghaoth fabhrach acu.

'Tá an méid sin déanta agat,' arsa an criú leis an gcaptaen, 'agus níor dhein riamh é ach captaen maith.'

Bhí sé siar san oíche an uair sin agus cheap na hOileánaigh a bhí ag baile ná raibh aon tseans go deo go dtiocfadh an *Collach Dubh* mar bhí na tithe á gceangal ag an ngála. Ach ní raibh fhios faic ag muintir an tí nó gur bhuail an sagart isteach trí lár an tí chuchu agus captaen an bháid ina theannta agus i gceann chúig nóimintí bhí a raibh beag agus mór san oileán istigh sa tigh, nuair a chualadar go raibh an sagart tagtha. D'fhan an sagart san Oileán an oíche sin agus lá arna mháireach sé an áit a cuireadh é, ó thuaidh go Cuas na Naoi. Tá Cuas na Naoi i bparóiste an Fheirtéaraigh. Ba mhaith na fearaibh a bhí ar an Oileán a Tréigeadh an uair sin agus dá fheabhas mar bhíodar bhí na sagairt chomh maith leo. Mhair an seanduine gur tháinig an sagart an oíche sin chuige, dhá bhliain na dhiaidh sin. Fear de mhuintir Chearnaigh ab ea é agus bhí sé céad bliain nuair a cailleadh é.

16

Seanscéalta

Is MINIC A THÉINN féin agus Paidí Ghobnait isteach go dtí Eoghan Shullabhan oícheanta geimhridh. Bhíodh sé istigh romhainn agus é ag ithe deargán buí ar a shuaimhneas agus gan deabhadh ná dithneas air, mar bhí sé ina dhonán críonna an uair sin agus é stadtha istigh ón bhfarraige. Bhíodh im ar an mbord aige i dteannta an deargáin bhuí, ach ní chuireadh sé an scian san im mar deireadh sé linn gurbh fhearr an deargán buí ná a raibh d'im ag Cáit Foley.

Chuir sé síos ar an seanshaol dúinn, mar is mó drochlá agus lá maith a chonaic sé. Dúirt sé linn go raibh triúr fiagaithe in Inis Tuaisceart fadó. Bád a chuir ann iad agus bhí madraí acu agus min bhuí. B'shin í an lón i gcomhair na bliana, mar bhíodar chun ráithe an gheimhridh a thabhairt ann, mar ba mhinic acu. Thugaidís an mhin bhuí go dtí an bpúicín tí a bhí san Inis acu. Nuair a chuir an bád siar iad bhí an lá ag athrú—ag dul ar bun agus an

99

ghaoth ag síneadh siar ó dheas. Chuir criú an bháid
díobh abhaile go tapaidh. Níor chuadar an triúr ag fiach
an lá san, mar chaitheadar an púicín tí a ghlanadh amach
agus é líonadh isteach de raithnigh i gcomhair na biaiste.
Shíneadar siar sa raithnigh ansan agus tine bhreá rabhán
acu, mar tá rabhán in Inis Tuaisceart chomh flúirseach
le gainimh na trá. Dheineadar císte mine buí agus
chuireadar anuas ar chlár corcáin é. Bhí na madraí ag
imeacht ar bholadh coiníní. I gceann tamaill bhraith na
madraí coinín síos trí lár an urláir agus b'shiúd ag
taighde iad. Bheir duine ar a rámhainn agus chuaigh sé
féin ag taighde. Nuair a bhí an poll déanta aige sháigh sé
lámh síos ann agus tharraing aníos stail de choinín agus
mhairbh sé é—agus ceann eile ina dhiaidh. Chuireadar
ag beiriú iad agus d'itheadar go milis iad agus ba mhaith
iad leis. Shíneadar sa raithnigh agus bhí nach aon tsrann
acu as san go maidin. Nuair a dhúisíodar, d'fhéach duine
acu síos sa bpoll agus chonaic sé an cnámh mór.
Tharraing sé aníos é.

'An diabhal,' arsa duine acu, 'tá ana-dhealramh le cois
duine aige agus is dócha gur cos mairnéalaigh í.'

'Cad a dhéanfad léi?' arsa an fear a thóg í.

'Níl faic le déanamh agat ach í chur thar n-ais.'

'Caithfead amach ar an mbuaile í,' ar sé.

'Ná dein,' arsa an bheirt. 'Níl san ceart agat a
dhéanamh.'

Ach d'imigh sé amach agus chaith sé an chos taobh an
chlaí agus chuir sé cloch anuas uirthi. D'imíodar ag fiach
an lá san, ach bhuail an phian sa láimh fear na coise coinín
agus leag é.

'Tá an lámh caillte agam,' ar sé.

'Ní sinne ná dúirt san leat,' arsa an bheirt. 'Cuir díot abhaile go dtí an bpúicín agus cuir an chos mar a bhfuairis í.' Ach ní raghadh. Lean sé amach go Barra Liath iad agus a lámh féna ascaill. Chonaiceadar aduaidh an bád bán agus culaith ghléigeal sheolta uirthi. Bhíodar ag faire nó gur tháinig sí féna mbun thíos—bean á stiúradh agus fear amuigh chun tosaigh. B'ait leo í. Chas sí timpeall dhá uair ar Fhochaisí na Mairnéalach.

'Tá's ag Dia,' arsa duine, 'gurb í an bád is aite a chonac riamh.'

Tháinig sí isteach go Log an tSuaimhnis agus leagadh na seolta agus ní raibh siad ach leagtha nuair d'imigh sí as a radharc. Ní fhacadar aon bhlúire as san amach di.

D'éiríodar in airde ansan go dtí Struicín Bharra Liath agus an fear eile ina ndiaidh agus é ag scréachaigh le pian. Ní fada bhíodar i mBarra an Struicín go bhfacadar chuchu aduaidh ón bhfarraige na capaill bhána! Tháinig diamhaireacht san iargúltacht orthu agus na capaill bhána ag teacht orthu nó gur thángadar i dtalamh i Lúib Fhothair an Fhraoigh.

'Sea,' arsa duine, 'is dócha go leagfaidh siad an púicín orainn agus ansan beam inár seó bóthair.' Bhíodar ag cur agus ag cúiteamh ach cad a dhéanfaidís. Dúirt fear na láimhe ná féadfadh sé faic a dhéanamh, go raibh an doigh ag fáscadh ina láimh. Dúradh leis dul abhaile agus síneadh siar sa phúicín.

'Ní raghad abhaile,' ar sé, 'mar tá na capaill ag an bpúicín.'

Arsa an bheirt, 'Tá sé chomh maith ag an triúr againn

tabhairt fé agus más é an bás é beidh sé ag an triúr againn in éineacht.' D'imíodar leo agus nuair a thángadar chomh fada le Log an tSuaimhnis aríst bhí an bád bán ann agus na seolta uirthi.

'Tá sé chomh maith againn a bheith ag cur dínn abhaile,' arsa an triúr. Sa chaint dóibh chonaiceadar chuchu na capaill bhána. Níor dheineadar stad nó gur chuadar ar bord an bháid bháin agus leis sin d'imigh an bád bán léi siar chun na farraige. Thángadar abhaile go dtí an bpúicín gan fiach agus fear na láimhe ina ndiaidh ag gearán go dóite. Nuair a chuadar isteach 'on phúicín bhí an poll úd dúnta. Chuaigh duine acu amach ach an raibh an chos coinín taobh an chlaí. Ní raibh. Thug fear na láimhe an oíche gan chodladh.

Dheineadar tine lá arna mháireach, mar chomhartha agus tháinig an bád ag triall orthu. B'ait le dream an bháid cad a bhí bun os cionn leo. Thángadar abhaile agus an fhaid a mhair fear na láimhe níor chuaigh aon fheabhas uirthi. Deireadh na seandaoine gur mairnéalaigh a bhí ar na capaill bhána agus gur mairnéalach eile a bhí curtha sa phúicín agus gur bád sí a bhí acu nuair a bádh iad. Bhíodh an scéal san ag Eoghan Shullabhan go minic oíche agus deireadh sé nár chuaigh aoinne riamh ina dhiaidh sin ag taighde sa pholl san.

17

Beirt ón bhFarraige

Sᴀ ᴛsᴇᴀɴsʜᴀᴏʟ bhí Micil agus Eoghan ag iascach in Inis Tuaisceart. Beirt driothár ab ea iad de mhuintir Shúilleabháin. Athair mo mháthar ab é Micil, beannacht Dé lena anam. Bhíodar ag iascach bhallach agus ba mhaith chuige iad. Bhíodar ag iascach leo ar an dtaobh thuaidh de Bharra Liath mar bhí ana-pholl ballach ann.

Timpeall an tráthnóna siar dúirt Eoghan le Micil dul amach as an mbád agus cúpla fiach mara óg a mharú agus go ndéanfaidís i gcomhair an tsuipéir ag baile tráthnóna. Chuaigh Micil amach as an mbád agus mhairbh sé dosaen d'fhiaigh mhara óga. Bhuail sé a gceann isteach fén gcorda a bhí thairis aniar agus chuaigh sé in airde go dtí Struicín Bharra Liath. Bhí sé ag féachaint siar ó thuaidh chun na farraige agus aer breá cumhra na mara aige nuair a chonaic sé an bád mór agus gan cor sall ná anall aici á dhéanamh, ach í ina carraig. Ní raibh miam gaoithe as an spéir agus an ghrian ag maolú léi siar tar éis chúrsa an lae.

Thug Micil fé anuas agus dúirt sé le hEoghan é thógaint tapaidh mar go raibh an raic laistiar.

'Cén raic atá ann?' arsa Eoghan leis.

'Tá bád mór,' arsa Micil, 'agus níl cor sall ná anall aici á dhéanamh. Is dócha má tá aon mhairnéalach inti gur caillte tá siad.'

Thóg Eoghan 'on bhád beag é agus chuir beirt acu amach na maidí agus nuair a chuadar ar an dtaobh thuaidh de Bharra Liath chonaiceadar an bád mór go soiléir. D'imíodar leo agus níor dheineadar aon stad nó gur chuadar taobh léi. Bhí beirt fhear ar bord inti agus gan iontu ach an t-anam. Cheangail an bheirt isteach di agus chuaigh Micil ar bord agus bhain sé croitheadh as an mbeirt.

Dúirt sé le hEoghan go raibh an t-anam fós iontu. 'Cuardaigh an bád,' arsa Eoghan, 'ach an bhfuil bia ná uisce inti.'

Chuardaigh Micil an bád óna tóin go dtína ceann agus ní bhfuair sé inti ach ceaig agus í folamh agus an bheirt sínte siar ar deic gan focal ná drandam astu.

'Cad tá le déanamh againn leo?' arsa Micil. 'Nárbh fhearr dúinn iad a thabhairt inár mbád féin agus abhaile linn, sé sin má dheineann siad an bheart abhaile. Sé mo thuairim ná déanfaid.'

'Iompaigh in airde a mbéal,' arsa Eoghan, 'agus scaoil seile siar orthu. Tá buidéal uisce anso sa bhád agus dá mbeadh braon curtha orthu b'fhéidir go dtabharfadh sé fuascailt dóibh. Ach b'fhearr an tseile, mar deireadh m'athair riamh dá gcuirfeá seile i mbéal duine a bheadh ar an gcuma san go ndéanfadh sé maitheas dó.'

Dhein Micil fé mar dúirt Eoghan leis agus shín sé in airde an buidéal uisce chuige agus chuaigh Eoghan féin ar bord an bháid mhóir agus cheanglaíodar a mbád féin di. Bhíodar ag gabháil don mbeirt nó gur dhóigh leo go raibh feabhas ag teacht orthu.

'Sea, anois,' arsa Micil, 'tá sé chomh maith againn iad a chur inár mbád féin agus scaoileadh leis an mbád mór. Sé an trua go deo scaoileadh léi, ach cad tá le déanamh againn? Níl faic, mar níl maide ná dola inti agus dá mbeadh féin níorbh fhéidir le beirt againn í thabairt chun tiaraíochtais go deo mar tá an taoide casta ó thuaidh.'

'Ní féidir linn faic a dhéanamh léi,' arsa Eoghan, 'ach tá sé chomh maith againn an bheirt a thabairt abhaile. Rogha acu bheith marbh nó beo, ach níl aon leigheas againn orthu.'

Chuireadar ina mbád féin an bheirt agus scaoileadar leis an mbád mór, mar bhíodar rófhada chun na farraige chun í thabhairt go dtí an gcaladh. Bhíodar deich míle fhichead ón Oileán an uair sin. Thugadar fén mbá aniar agus an bheirt caite thiar i ndeireadh an bháid acu agus na fiaigh mhara óga curtha mar philiúr féna gceann. Bhí nach aon chóiríocht ag an mbeirt á thabhairt dóibh agus anois agus aríst chuiridís braon uisce siar orthu as an mbuidéal, ins a' tslí dhuit gur fearr a bhíodar ná an uair a fuaireadar ar dtús iad. Nuair a bhíodar ag déanamh aniar ar Cheann Charraig Fhada chorraigh duine acu a lámh agus chuir sé in airde ar a cheann í.

'Tá's ag Dia,' arsa Eoghan, 'go bhfuil feabhas mór tagtha ar dhuine acu. Bain de an caipín mar b'fhéidir go bhfuil sé ag déanamh díobhála dhó. Tá sé rófháiscthe ar a cheann.' Thóg Micil isteach a mhaidí agus bhain sé an caipín den bhfear a bhí ina ghátar. Tuigeadh dóibh go raibh feabhas mór tagtha air, ach bhí an fear eile gan húm ná hám as.

Thugadar ar an gcaladh iad agus bhí daoine ansan rompu, cuid mhaith, mar is gnách le caladh go mbeidh duine éigin i gcónaí ann. Nuair a chonaiceadar an bheirt mharbh tháinig ionadh orthu agus d'aithníodar go maith gur mairnéalaigh ab ea iad, mar ba mhinic roimis sin a chonaiceadar mairnéalaigh tagtha ar an gcaladh. D'imigh an scéal fén mbaile ins a' tslí dhuit nár fhan bean ná páiste ná gur tháinig ar an gcaladh. Tógadh amach an bheirt mhairnéalach as an mbád agus bhí duine caillte ach bhí an t-anam sa bhfear eile.

Bhí Máire Chriomhthain ar an gcaladh. Sí sin bean Mhicil, mo mháthair chríonna. Drifiúr do Thomás ó Criomhthain ab ea í agus bean chabhartha ab ea ina theannta san í. Bheir sí ar an mairnéalach a raibh an t-anam ann, í féin agus beirt bhan eile agus thugadar leo go dtína tigh é. Bhain sí de an t-éadach a bhí air agus chuir sí flainín breá nua lena chroiceann agus shín sí sa chúinne é agus plaincéad casta timpeall air. Chuir sí síos tine mhór ansan agus de réir mar bhí sí ag deargadh bhí an mairnéalach ag teacht chuige féin. Bhí an fuacht á fháscadh amach as ag an dtine agus ag an bhflainín go léir a bhí casta ar a chorp.

Tháinig m'athair críonna abhaile agus dúirt sé le mo mháthair chríonna mála garbh a thabairt dó chun go

gcuirfidís an mairnéalach marbh isteach ann agus go
gcuirfidís i Rinn an Chaisleáin é. D'fhiafraigh mo
mháthair chríonna de ar dhóigh leis an raibh sé caillte.

'Déarfainn go bhfuil,' arsa m'athair críonna, 'mar
tá sé chomh fuar leis an marbh atá sa reilig le fiche
bliain.'

'Fan ansan go fóill,' ar sí, 'agus raghad ag féachaint air,
mar b'fhéidir go bhfuil an t-anam fós ann agus dá
mbeadh sé taobh na tine ar feadh tamaill go dtiocfadh sé
chuige féin. Tabhair aire don mhairnéalach atá taobh na
tine nó go dtiocfad abhaile.'

D'imigh sí léi go dtí an gcaladh agus plaincéad nua aici
agus chas sí mórdtimpeall ar an mairnéalach marbh é
agus thug sí go dtí an dtigh é, í féin agus Eoghan agus
shín sí taobh na tine é. I gceann leathuair a chloig ina
dhiaidh sin bhí sé ag teacht chuige féin. Ins a' tslí dhuit go
raibh an bheirt sin ag siúl an bháin tráthnóna agus iad
chomh maith agus a bhíodar riamh. Ach ní raibh aon
tuiscint orthu, mar Francaigh ab ea iad. Thuig mo
mháthair chríonna roinnt focal uathu, mar bhí taithí ar
Fhrancaigh aici—thug sí sé mbliana ag obair ina dteannta
i Holyoke i Meiriceá.

Dúirt sí gurb ea bádh an t-árthach a bhí ag an mbeirt
mhairnéalach so agus nár tháinig saor aisti ach iad. Thug
an bheirt sin dhá lá ar an Oileán agus i gceann an tríú lae
chuir m'athair críonna agus Eoghan ar bord árthaigh iad
a bhí ag gabháil bealach an Oileáin ó dheas agus iad
chomh maith agus a bhíodar riamh. Ní bhfuaireadh aon
tuairisc riamh ina dhiaidh sin uathu, cé gurbh í mo

mháthair chríonna a thug an t-anam dóibh. Tá os cionn
céad bliain ansan chomh bog is tá aon lá amháin. Is mó
mairnéalach a fuair na hOileánaigh ar an bhfarraige agus
iad báite. Tá siad go léir curtha i Rinn an Chaisleáin ar an
mBlascaod agus iad ag brath leis an lá déanach.

18

Filleadh Fuar

NACH MAIRG a ghearánann go mbíonn aon bhreacadh den tsláinte aige? Ní thuigeann an peacach bocht é nuair a bhíonn sé rótheann ar an saol so ach sin é an uair is ceart dó aire a thabhairt dó féin, mar is mó duine a bhíonn suas ar maidin a bhíonn síos tráthnóna.

Déarfainn go bhfuil mo mháthair chríonna caillte le deich mbliain agus trí fichid agus níor chuala ag gearán riamh í, cé go raibh sí chúig mbliana déag agus cheithre fichid nuair a cailleadh í. De mhuintir Shé b'ea í, ó Pharóiste Fionn Trá agus ní raibh sí ach chúig mbliana déag nuair a phós sí. Tigh beag tuí a bhí acu san Oileán an uair sin, ach b'shin é an tigh ná raibh an t-ocras riamh ann, mar bhíodh sí féin chomh maith le m'athair críonna sa tsoláthar. An rud ná bíodh aige siúd bhíodh sé aici féin. Chonacsa go maith í cé go raibh sí críonna. Má bhí féin bhíodh sí ag obair. Níor luigh sí ar a leabaidh riamh le haon ghearán, mar ní raibh aon taithí ar an bpeataíocht san aici. Níl aoinne is mó a choimeádann an leaba ach an té is mó a fhaigheann peataíocht agus ní raibh aon chríoch riamh ar an té a fuair an iomad di.

Is minic a chuala á rá í, an chéad bhliain a tháinig sí 'on Oileán go raibh sí ar an mbliain ba mheasa a tháinig riamh ar an míntír. Níor fhás práta ná faic eile ann ach ní mar sin a bhí ag an Oileán. Bhí flúirse an bhliain sin ann mar bliain mheathfhliuch ab í gan aon ghaoth. A leithéid sin a theastaigh ó thalamh an Oileáin mar talamh gainimhe b'ea é.

Ní bhíodh aon bhraistint acu ar an drochaimsir nó go dtéidís amach, mar tithe beaga ísle a bhíodh ann an uair sin agus iad tógtha suas i gcoinne na bport. Bhí sí ag sníomh an oíche seo agus bhí m'athair críonna sa chúinne eile den dtigh agus é ag déanamh na roithléithí di. Ní bhíodh am ná faic an uair sin ann ach bheith ag faire ar an gcoileach agus ag faire ar an dtaoide sa lá. Bhíodar ag obair go dian, beirt acu agus timpeall am mharbh na hoíche siar chualadar leanbh ag gol sa tsimné agus nach aon scréach nimhe aige. B'ait leo é, mar bhí an oíche go diamhair agus go hiargúlta agus glór caointeach ag imeacht tríd an dtigh. Sin é mar tá riamh ag an oileán mara. Go mórmhór nuair a thagadh an geimhreadh orthu, ní raibh aon dul acu ar theitheadh in aon áit ach a dtriail a sheasamh. Sheasaíodar é leis agus dheineadar a bpurgadóireacht ann.

Dúirt mo mháthair chríonna le m'athair críonna a cheann a chur 'on doras ach an gcífeadh sé an leanbh a bhí ag gol sa tsimné agus má chífeadh é thabhairt isteach ó spéir na hoíche.

'Ní raghadsa 'on doras,' arsa m'athair críonna léi, 'mar tá fhios agam nach aon leanbh ón saol so atá sa tsimné a leithéid d'uain. B'fhearr dhuit an obair atá ar láimh agat a chaitheamh uait, mar tá an oíche imithe thar droim agus an lá ag teacht orainn.'

D'éirigh mo mháthair chríonna ón dtorn agus dúirt sí leis go raghadh sí féin i radharc an tsimné agus go dtabharfadh sí isteach an leanbh a bhí ann, go raibh an liathbhuí tagtha air. D'oscail sí an doras agus tuigeadh di go raibh sí ar an oíche ba bhreátha a tháinig riamh anuas as an spéir. Bhí an ré ina pláineád glórmhar i lár na spéireach agus brón uirthi tar éis na hoíche. Nuair a bhí sí ag dul go dtí an simné sea chonaic sí an bhean i gceann an tí agus leanbh ar a bachlainn aici.

'An tú Neil?' arsa mo mháthair chríonna. 'Más tú, tar isteach, nó cad tá oraibh go bhfuileann tú ansan a leithéid d'am?'

Níor fhreagair bean an linbh í, ná ní lú ná chorraigh sí ó bhinn an tí. Cheap mo mháthair chríonna gurbh í Neil Thaidhg a bhí ann agus gurb ea chuir a fear amach í féin agus a leanbh, mar ba mhinic roimis sin a dhein sé é. Labhair mo mháthair chríonna aríst agus dúirt sí léi teacht isteach agus goradh den dtine a thabhairt di féin, mar nárbh aon áit di a bheith ina sprioc ansan a leithéid d'oíche.

'Nár fóire an lá ná an oíche ort,' arsa bean an linbh léi. D'éirigh sí agus thug sí féin mbaile soir agus an leanbh ar a bachlainn aici agus nach aon scréach uafásach aici.

Tháinig m'athair críonna 'on doras agus d'iarr sé i gcuntas Dé ar mo mháthair chríonna teacht isteach agus gan seó a dhéanamh di féin i lár an bhaile, mar gur bhun tuisceana di nárbh aon bhean shaolta a bhí ag imeacht a leithéid d'oíche. Ní bheadh mo mháthair chríonna sásta agus lean sí an bhean agus a leanbh agus m'athair críonna ina diaidh aniar agus nach aon mhallacht aige uirthi teacht abhaile, ach mo mhairg, ní raibh aon dul ar theacht abhaile aici, nó go mbeadh a fhios aici an beo nó marbh bean an linbh. Leanadar í agus nuair a chuaigh sí go dtí Bóithrín na Marbh d'iontaigh sí laistíos soir chun Tobar na hAille. Chuaigh an bheirt ar chlaí an Ghoirt Bháin ag faire uirthi.

Ní bheadh an fear ag faire mura mbeadh mo mháthair chríonna. Bhí a fhios aige nárbh aon bhean ón saol so b'ea í. Thug sé tuairim aithne di ach ní dúirt sé le mo mháthair chríonna an uair sin é. Nuair a bhí sé ag druidim le ham an choiligh a ghlaoch, thug bean an linbh fén ngob ó dheas agus an fhaid a bheifeá ag bualadh do dhá bhois bhí sí imithe as a radharc agus an oíche tite anuas chun dorchacht aríst. Is ar éigean a thángadar abhaile le dorchacht agus le fiántas na hoíche. Nuair a thángadar isteach bhí an tigh fé mar d'fhágadar é ach aon ní amháin, go raibh an torn aistrithe ón gcúinne go raibh sé. D'fhágadar mar sin é nó gur ghlaoigh an coileach. Deiridís riamh nár cheart aon chur isteach a chur ar an dtorn nó go nglaofadh an coileach, mar ná raibh sé ámharach.

Nuair a tháinig Neil Thaidhg isteach go dtí mo mháthair chríonna ar maidin, sé an chéad scéal a bhí aici gur dhiail an oíche phúcaí an oíche aréir, mar gur chuala sí féin agus a hathair leanbh ag gol tamall maith den oíche. Níor lig mo mháthair chríonna faic uirthi léi, ach bhí sí ag baint as a bolg ach conas mar a bhí an scéal aici.

'Muise,' arsa mo mháthair léi, 'is dócha gurb éanlaithe a chualaís féin agus t'athair.'

'Ní hea go deimhin,' ar sí sin, 'mar d'aithin m'athair an bhean ach níor aithin sé an leanbh. Dúirt sé gurbh í Máir ní Shé, a bádh i dTobar na hAille, a bhí ag iompar linbh.'

D'aithin m'athair críonna leis í, ach ní dúirt sé riamh le mo mháthair chríonna é. Ní raibh aon aithne aici ar an mbean mar ní raibh sí tagtha 'on Oileán chuige nuair a bádh an bhean san i dTobar na hAille. Sé bhí sí ag ní flainín sa tobar agus thóg an fharraige í. Deireadh m'athair críonna go raibh an bhean san ag iompar linbh, mar d'fhan sí ar bharra na farraige nó gur imigh sí ceann Bheiginis ó thuaidh ag an dtaoide, slán beo mar a n-instear é. Tá sé ráite riamh ná suncálann aon bhean a bhíonn ag iompar linbh. Níorbh fhéidir dul ag triall uirthi ag anaithe an lae. D'aithin m'athair críonna go maith í ag binn an tí an oíche sin. Cé gur fear ab ea é ná géilleadh do phúcaí ghéill sé don mbean san, mar chonaic sé go soiléir í.

19

Captaen ina Chócaire

SÉ N RUD A BHFUILIM ag cuimhneamh anois air, an boigh-
reán breá a dheineadh mo mháthair fadó. D'íosfá do
mhéireanta ina dhiaidh. Tá daoine ar an saol anois ná
feadar cén rud boighreán ach oiread leis an dtaobh istigh
den ngealaigh.

Chuireadh sí scilléad beag uisce ar an dtine ar dtús
agus ligeadh sí dó nó go mbíodh sé ag fliuchadh. Ansan
thógadh sí é agus chaitheadh sí min choirce síos ann agus
bhaineadh sí barrafhliuchadh eile as. Thógadh sí an
scilléad ansan agus scaoileadh sí an mhin choirce síos i
bpróca mór cré agus scaoileadh sí bainne anuas uirthi.
Chuireadh sí ag géarú ar feadh cúpla lá é agus nuair ba
dhóigh léi é bheith i gceart chuireadh sí ag téamh aríst é
agus ansan scaoileadh sí amach i mbabhlaí móra cré é
agus crobh shalainn caite anuas air. Bhuel, níor ithis
riamh i do shaol a mháistir sin. Is minic a d'itheadh
daoine arán buí leis mar ba gheall le leite é. Ach b'fhearr é

114

seo ná aon leite, mar gheofá col i gcoinne na leitean uaireanta. Ní dhéanfadh aon mhin choirce bhog an boighreán duit. Chaithfeadh min choirce chrua a bheith agat—sin é ar fad a bhíodh sa tseanshaol ann.

Ach dheineadh mo mháthair an boighreán go minic le coirce a bhíodh acu féin. Bhaineadh sí dó an cháith agus an chlipe chrua agus ansan chuireadh sí ar bogadh é. Nuair a bhíodh sé déanta ní bhíodh aon aithint mhór idir é agus an boighreán a dhéanfaí leis an min choirce chrua. Bhí a rian air, ní bhíodh aon phurgóidí ag's na daoine á thógaint an uair sin, mar bhíodh na nithe cearta acu á chur ina gclíbholg. Dá bhfaighfeá babhla maith de bhoighreán agus stráice maith de chíste buí agus ailp de phollóig úr oilte, ná beadh aon tor ar an lá as san amach agat. Ach tá an iomad milseán ag marú na ndaoine anois; tá an milseán rite sa bhfuil acu.

Is minic a chuala mo mháthair á rá go raibh sí istigh lá agus babhla boighreáin aici á ól agus ailp de chíste mine buí, san am gur bhuail m'athair an doras isteach agus beirt stróinséirí ina theannta. Ní raibh aon fhocal Gaelainne acu mar is ó Shasana b'ea iad. Captaen ar árthach a bhíodh ag ceannach ghliomach agus mairnéalach ab ea iad. Bhí focail mhaithe Bhéarla ag mo mháthair le tabhairt dóibh mar thug sí sé mbliana i Meiriceá. Thug sí babhla boighreáin agus ailp aráin bhuí don nduine acu agus nuair a bhí sé ite ólta acu dúradar nár itheadar a leithéid de bhia riamh le feabhas agus ní chreidfidís uaithi gurb í féin a dhein é. Thug an captaen sabhran buí di agus chaith sí é a mhúineadh chun an boighreán a dhéanamh mar tháinig dúil an mhairbh aige ann. Is mó leite agus súp a bhí dulta ina bholg, ach má bhí b'fhéidir gurb ea chruadaís laistigh é. Ní chruafadh an boighreán aoinne dá mbeadh sé déanta i gceart mar tá a dhéanamh féin ar nach aon ní agus dhá dhéanamh ar an duine.

D'imíodar leo agus seachtain ina dhiaidh sin thángadar ag ceannach ghliomach aríst agus ní raibh fhios faic ag mo mháthair nó go raibh an captaen istigh sa tigh aríst aici agus próca mór boighreáin aige agus é déanta aige féin. Scaoil sé amach i mbabhla go dtí mo mháthair é agus dúirt sé léi é thástáil ach an raibh sé chomh maith leis an mboighreán a dheineadh sí féin. Bhlais sí é ach níor ith sí puinn dó, mar tuigeadh di go raibh sé an-láidir agus dúirt sí leis an gcaptaen go gcoimeádfadh sí é nó go dtiocfadh a fear ón bhfarraige. Dúirt sé léi é a choimeád mar go mbeadh a dhóthain aige féin dó as so amach, go raibh a cheard aige chun é a dhéanamh.

Sin é mar a bhí, nuair a tháinig m'athair ón bhfarraige, d'ith sé boighreán Shasana agus dúirt sé gurbh fhearr go mór é ná an boighreán a dheineadh mo mháthair, mar bhí iasc sliogáin curtha ag fear Shasana air. Bhí a rian air, bhí sé láidir mútúil. Is mó babhla maith a dhein mo mháthair ina dhiaidh sin dó agus is mó fear agus bean ar bhain sé an t-ocras dóibh. Bean chroímhór ab ea í. Pé rud a bheadh fé chreatlacha an tí aici, thabharfadh sí don té a chífeadh sí ina ghátar é. Bhí sí chomh maith as leis an nduine ná tabharfadh uisce na n-ubh uaidh.

20

Dhá Oíche sa Tiaracht

THÁINIG SAMHRADH AN-BHREÁ agus bhí potaí lastuaidh soir den gCeann Dubh agam féin agus ag m'athair agus ag Mícheál. Bhíodh an fharraige ina léinsigh nach aon lá le ciúnas dubh, ach má bhí féin bhí sí ina gamhnaigh cheal aon ghliomach a fháil. Ba mhar a chéile duit a bheith ag baoiteáil photaí ann nó bheith á mbaoiteáil thuas ar an leacain. Bhí deich gcinn fhichead de photaí againn agus sé an méid gliomach a bhíodh againn tar éis an lae leo ná leathdhosaen, tar éis cheithre tharrac a dhéanamh orthu. Bhíomar chomh míshásta le muic acu, mar is minic a thagaidís aníos féna mbaoití tar éis na hoíche agus gan an portán féin iontu.

Dúirt m'athair lá linn gurbh fhearr dhúinn tabhairt síos fén dTiaracht leo agus seachtain a bhaint as, i dtaobh go raibh an aimsir bhreá ann agus mura bhfaighimis faic inti go dtabharfaimis isteach ar an bport iad, mar ná raibh aon chúram againn dár marú féin gan faic. Líonamar isteach an naomhóg maidin bhreá acu agus thugamar

117

síos fén dTiaracht le tosach tuile agus mise agus Mícheál
ag rámhaíocht, mar bhí sé cinn déag de photaí againn sa
naomhóig. Chuireamar i bhfarraige sa Tiaracht na sé
cinn déag de photaí agus iad baoiteáilte síos le pollóga
úra agus le ballaigh. Bhí dath dubh ar an gcloich le ciúnas
agus miamhán beag de ghaoith anoir aduaidh ann.
Éanlaithe ar chuma na gainimhe ann agus a scréach féin
ag gach éan acu. Iad ag imeacht tharainn isteach agus
amach agus sailleán trasna ina ngoib acu le tabhairt go
dtína ngearrcaigh, a bhí ag aibiú fén ngréin sna faill-
teacha.

Chuas-sa agus Mícheál in airde go dtí's na Light-
keepers chun stán tae a dhéanamh. Chaithfeadh an bia
bheith sna hoileáin seo agat mar ní bhíodh aon teacht
abhaile le déanamh againn nó go mbíodh an réiltín ar an
spéir, agus san am is go mbímis sa bhaile, bhíodh sé a dó a
chlog san oíche. Thugamar pollóg bhreá úr in airde
chuchu an lá so, mar bhíodh ana-dhúil in iasc úr acu ar ár
gcuma féin. Dheineamar an tae agus d'ól beirt againn
istigh sa tigh í agus thug na Coimeádaithe Solais bosca
mór feola dhúinn. Cé go raibh iasc úr beirithe againn,
d'itheamar an fheoil, mar b'í ba shia le dul orainn i
gcomhair an lae. Nuair a bhí ár gcuid bídh ite againn
thugamar an chuid eile síos go dtí m'athair a bhí sa
naomhóig agus chuaigh duine des na fir solais inár
dteannta ag tarrac na bpotaí. Bhíodh ana-dhúil sa
bhfarraige acu ar chuma na lachan.

Bhaineamar dhá dhosaen as na sé cinn déag de photaí
mar ana-áit ghliomach ab ea an Tiaracht riamh, ach í

bheith rófhada ón Oileán, mar tá sí san áit is iargúlta agus is fiáine sa domhan agus gan aon chaladh inti ach dhá bhloc mhóra, an bloc thuaidh agus an bloc theas. Níor mhór duit an fharraige a bheith ina suan chun dul amach orthusan, mar bíonn siad sleamhain tar éis an gheimhridh agus tar éis na farraige go léir a bhíonn ag gabháil stealladh orthu ó cheann ceann na bliana. Bhí chúig ndosaen an lá san againn agus ár ndóthain bídh ite againn, mar bhí daoine maithe sa Tiaracht an bhliain sin. Deireadh m'athair ná raibh aon droch-Choimeádaí riamh inti, mar chaith sé féin agus Paidí Mhaurice a saol ag iascach inti.

D'fhan m'athair istigh ón bhfarraige ansan agus chuaigh Paidí Mhicil agus Maidhc Mhicil inár dteannta. Thugadar leo a gcuid potaí féin agus chuireamar i bpáirtíocht iad agus chuaigh ceathrar againn in aon naomhóig amháin. Bhí seachtain tugtha sa Tiaracht ansan againn agus iasc maith againn á fháil mar bhí daichead pota againn agus dhá thraimil. Níor mhór duit dhá thraimil chun baoite a choimeád do dhaichead pota agus baoite a choimeád dúinn féin chomh maith agus fo-ghoblach a thabhairt dos na Coimeádaithe mar bhídís go maith dhúinn. Is minic a bhímis ag tarrac photaí inti agus an teach solais lasta agus é ag caitheamh síogaí siar chun na farraige go gcuireadh sé réiltíní ar do shúile féachaint air, gan trácht ar ghlór uaigneach na n-éan a bhí ag déanamh a slí bheatha ar ár gcuma féin.

I gceann na seachtaine tháinig dhá naomhóig eile 'on Tiaracht agus daichead pota ag gach naomhóig. Bhí

ceathrar i gceann acu, iad i bpáirtíocht ar ár gcuma féin.
Níor mhór duit ceathrar nach aon lá chun dul 'on
Tiaracht agus teacht aisti, mar bá mhór fhiáin atá idir í
agus an tOileán. Bhíodh ana-chuideachta againn nuair a
théimis in airde go dtí's na fir solais ag déanamh an tae.
Ní bhíodh uathu ach an chuideachta ar ár nós féin. Bhí
beirt acu ábalta ar an veidhlín a sheimint, Dick Cochláin
agus Sullivan. Bhí fliúit ag fear eile acu, Ned Curtain,
agus nuair a chloisfeá an ceol i lár na mara, chuirfeadh sé
aoibhneas na síoraíochta i gcuimhne dhuit agus nuair
a chloisfeá an coileach ag glaoch inti chuirfeadh sé
diamhaireacht éigin istigh i do chroí. Bhí céad cearc an
bhliain sin inti agus trí cinn de choiligh a raibh círín
chomh dearg le fuil orthu. Bhí bia siar síos acu agus aer
breá aniar ón bhfarraige mar a gcónaíonn an bradán
fearna.

Tá an Tiaracht deich míle ón Oileán agus í ina stocán
mara, ach mar sin fhéin tá sí ar an áit is deise sa domhan
sa tsamhradh. Tá na tithe inti is deise a chonaicís le do
dhá shúil riamh. Tá siad déanta isteach tríd an gcarraig
dhubh san áit gur dhóigh leat ná déanfaí aon tigh go deo.
Chuamar an-drochlá inti le gála gaoithe anoir agus aneas,
mar bhí na potaí fágtha istigh sa chloich againn an oíche
roimis sin agus theastaigh uainn iad a aistriú amach
chun na farraige. Stocán sceirdiúil an Tiaracht agus má
thiocfadh aon athrú ar an aimsir d'imeodh do photaí ag
an bhfarraige agus ansan bhís i do dhuine bocht.

Bhí cóir ghaoithe ag's na trí naomhóga againn an lá san
agus san am is go rabhamar sa Tiaracht bhí sé ina stoirm

anoir agus aneas agus níorbh fhéidir linn na potaí a bhí ar an dtaobh theas a tharrac. Chaitheamar dul ar an dtaobh thuaidh di mar bhí fothain ann, cé go raibh feothain gheala trí Pholl na Stiúrach aneas. Tá Poll na Stiúrach i lár na Tiarachta agus ghabhfadh naomhóg ó thuaidh agus ó dheas tríd ar barrathaoide. Ba dhóigh leat gur droichead é. Tá téad mhór sreinge trasna trína lár agus sin í an téad a thógann na hualaí as an mbád a bhíonn ag freastal orthu. Is minic a théann duine des na Coimeádaithe sa téad sin dá mbeadh drochlá ann nárbh fhéidir é thógaint den mbloc. Tá an téad oiriúnach i gcomhair nach aon ní a raghaidh inti. Caitheann nach aon ní dul inti sa gheimhreadh, mar ní féidir leo dul i ngaire na mbloc agus an fharraige mhór ag réabadh ar an dá thaobh, in airde go dtí's na tithe.

Bhíomar ar an dtaobh thuaidh an lá so agus ní raibh aon bhogadh aige á dhéanamh chun go raghaimis abhaile, mar bhí an ghaoth sa tsiúnta cheart orainn, cé go raibh ceathrar againn sa dá naomhóig agus triúr sa naomhóig eile. Bhí seanduine de mhuintir Chearnaigh i naomhóig an cheathrair agus dúirt sé de ghlam mhór láidir gurbh fhearr dul ag glaoch ar na fir solais go tapaidh chun go dtógfaidís in airde na naomhóga leis an gcrann sábhála a bhí ar an mbloc, mar go raibh sé ina stoirm gan aon mhoill agus gur báite a gheofaí sinn i dteannta a chéile. Bhíomar ag gáirí fé ar dtús, ach ar mh'anam ná rabhamar ag gáirí ar deireadh mar chaitheas féin agus Maidhc Mhicil dul ag glaoch ar na coimeádaithe chun na naomhóga agus sinn féin a shábháil.

Tháinig beirt acu inár dteannta agus téada móra
acu chun na naomhóga a thógaint agus a chur in áit
shábháilte a bhí os cionn an bhloic in airde. Chuaigh Dick
Cochláin isteach inár naomhóigne ansan agus chuir sé
lúb mhór den dtéad fé thosach na naomhóige agus lúb eile
féna deireadh. Tháinig Paidí Mhicil agus mo dhriotháir
Mícheál amach as an naomhóig ansan. D'fhan Dick
Cochláin istigh inti agus scaoileamar anuas an crann
sábhála agus an tácla chuige agus chuir sé i ngreim sa dá
lúb é. Bhí an fear solais eile ag tabhairt aire don gcrann
agus nuair a fuair sé an t-ordú ó Chochláin an naomhóg a
thógaint, chuamar ag cabhrú leis chun an crann a
choimeád díreach os cionn na naomhóige. Ní fada in
airde ón bhfarraige a bhí sí tógtha san am is gur bhris an
téad agus thit an naomhóg agus Dick Cochláin istigh inti
agus buaileadh a deireadh i gcoinne na talún agus
briseadh an clár deiridh. Níor imigh mágáinne ar an
gCochlánach ach dá mbeadh an naomhóg aon tamall eile
in airde mharófaí é mar fear mór trom ab ea é. Tháinig
an dá naomhóig i gcabhair ansan air agus thógadar ar
bord é agus greim láimhe ar ár naomhóigne aige.
Chaitheas-sa agus Maidhc Mhicil dul go dtí an mbloc
theas ag triall ar dhá théad eile. Tá stór mór lán de théada
acu ann. Thugamar linn ó thuaidh dhá cheann mhaithe
láidre agus tógadh in airde na trí cinn de naomhóga.
Bhíomar sábháilte ach go raibh naomhóg acu ana-
ghairid don bhfarraige, mar ní raibh aon tslí in airde
chun í chur ann. Cheanglaíomar suas ansan iad, mar bhí
gála teann gaoithe ann agus é geal glé trí Pholl na

Stiúrach aneas. Chuamar go dtí an dtigh ansan i dteannta
na bhfear solais.

Fuaireamar bia agus beatha uathu agus shocraíodar
leapacha dúinn sa tigh a bhí ceangailte dá dtigh féin.
Bhídís ag súinéireacht ann agus bhí sé lán de shlisní
plána tirime gur bhreá leat síneadh siar iontu. Shín
Maidhc Eoghain Shullabhan agus Maurice Eoghain
Bháin siar dóibh fhéin. Ba dhóigh leat gur dhá mhadra
fiaigh iad a bheadh cortha ag an lá. Bhí Peats Tom agus
Peter Cooney caite sa chúinne agus gan húm ná hám
iontu, mar bhí eagla orthu go raghadh an ghaoth chun na
farraige agus go dtógfadh an stoirm na naomhóga, mar
b'é an bloc thuaidh an bloc ba dhainséaraí, go mórmhór
nuair a shíneadh an ghaoth chun na farraige. Ach ní
raibh aon fhonn síneadh chun na farraige uirthi mar
dúghaothach anoir agus aneas ab ea í.

Bhí Maurice Mhuiris ann agus ní raibh aon eagla
roimh faic aige ach eagla go raghadh sé as tobac agus go
léimfeadh sé sa bhfarraige ar chuma na bhforchan. Ní
raibh Maurice Eoghain istigh leis féin chuige. Bhí sé sínte
siar sa scamhadhmad mar bheadh bean i leaba luí seoil
ag brath leis an mbean chabhartha. Ach dúirt Maurice
Mhuiris nár cheart d'aoinne gearán ar an dtalamh tirim
mar bhí nach aon chóir ab fhearr ná a chéile againn á
fháil ó lucht an tigh solais. Bhí aon duine dhéag againn
ann agus triúr coimeádaí agus níor stad an triúr san i rith
na hoíche ach ag beiriú agus á chaitheamh chughainne.
D'fhanamar gan codladh ná suan an oíche sin ach sinn
siar agus aniar go dtí an tigh solais, mar caitheann duine

des na coimeádaithe dul á thochras nach aon uair a
chloig.

Tá bóthar breá ag dul go dtí an dtigh solais agus é
clúdaithe as a bharra agus lampaí ar nach aon dá throigh
de chun solas a choimeád dóibh sa gheimhreadh mar
caithfidh siad an gléas a thochras. Mura ndéanfaid beidh
raic ar maidin ann. Ní raibh aon ghuthán an uair sin acu,
ach sé dheinidís comharthaí go dtí Oileán Dairbhre le
solas agus dhá ghloine féachana. Dheineadar comharthaí
ó dheas an oíche seo leis agus dúradar leis an gcoimeádaí
theas go raibh ár leithéidíne sa Tiaracht agus bád a chur
ag triall orainn. B'shin í an tarna hoíche againn sa Tiar-
acht. Dúirt an fear theas go ndéanfadh sé a dhícheall bád
a chur ag triall orainn am éigin amáireach má bheadh an
aimsir fé mar bhí. Ach bhí lá arna mháireach ina bháintéir
agus an fharraige ina léinsigh gur dhóigh leat nár tháinig
aon drochlá riamh anuas uirthi. Nuair is mó í an anaithe,
sea is gaire í an chabhair. Thángamar abhaile an lá san
agus d'fhágamar slán ag's na fir solais agus ag an
dTiaracht. Níor tharraingíomar aon phota mar bhí eagla
orainn go gcruafadh an lá aríst agus go mbeadh oíche eile
inár gcoimeádaithe solais againn. Rud eile, bhí nach aon
ghlam ag Peats Tom, gur dhóigh leat go leagfadh sé an
Tiaracht. Fear mór glamaíle b'ea é.

Bhris an aimsir tar éis teacht abhaile dhúinn agus
d'imigh a raibh de photaí sa Tiaracht ag an stoirm agus
níor chuamar ina ngaire ná ina ngaobhar as san amach,
mar bhí sé ag druidim le deireadh na bliana agus na
héanlaithe dubha ag tréigean na Tiarachta. Chomh

siúráilte agus tá cluasa ort, imeoidh nach aon éan aisti i
ndeireadh an fhómhair agus ní thiocfaidh siad aríst go
dtí tosach an Aibreáin. Sé an t-éan dearg an chéad éan
acu a thiocfaidh agus beidh sé tagtha ar an gcéad lá
d'Aibreán agus tabharfaidh sé trí lá, timpeall, ag glanadh
an phoill i gcomhair a nide sa tsamhradh agus nuair a
bheidh an méid sin déanta aige, imeoidh sé aríst agus ní
thiocfaidh sé go dtí tosach an Mheithimh.

Agus sin agat mar chaitheas-sa an dá oíche sa Tiaracht.

21

Oíche Bhrónach ag Fear Aonarach

IS MÓ TAOIDE agus stoirm gafa trí bhealach caol Inis Mhic
Fhaoileáin ón mbliain a bádh Seán ó Sé inti. B'shin í an
bhliain 1923. Is mó athrú curtha ag an saol ó shin de agus
ní deireadh fós é. Bliain an-bhreá b'ea an bhliain sin agus
chuaigh Pádraig ó Dálaigh agus Seán ó Sé ag iascach
ghliomach san Inis. Bhí eolas maith ag Pádraig ó Dálaigh
ar an Inis mar is inti a rugadh é agus chaith sé a shaol go
compordach agus go macánta inti. Ní raibh aon ní ag
déanamh buartha dhó ach a dhóthain gliomach a fháil
agus síneadh siar agus gal tobac a ól nuair a gheobhadh sé
an seans air. Is minic ná fuair, mar níor fhág an griothal
riamh an t-iascaire. Ceard is ea í a bhíonn ag imeacht le
plup-plap.

Chuaigh sé féin agus Seán ó Sé ag iascach an bhliain sin
agus fiche pota acu agus dóthain dhá mhí de bhia, mar
oileán is ea an Inis go n-íosfá na clocha inti i bhfoirm
bídh. Tá an t-aer inti is folláine agus is glaine sa domhan,

agus gan trácht ar phúcaí. Bhí madra ag gach aoinne acu chun a bheith ag fiach choiníní nuair a thiocfadh an drochlá orthu agus ná féadfaidís dul ar an bhfarraige. Oileán is ea í ná féadfá fanacht díomhaoin inti. Caithfir a bheith ag imeacht i gcónaí ar chuma na taoide a mbíonn a bolg le gréin.

Nuair a bhí na potaí curtha i bhfarraige acu chuireadar cúpla iomaire oinniún ar an dtaobh thiar den dtigh, mar bhí garraí beag deas ann agus thugadh sé ana-thortha oinniún. Ach chaithfeá a dhóthain leasú a chur air agus sé an leasú is fearr a théadh dó ná iascáin. Bíonn na hiascáin ag fás ar na clocha agus chaithfeá lagtráth rabharta a fháil chun iad a bhaint le rámhainn. Chuaigh an bheirt leo sall ar chliathán Inis na Bró. Tá Inis na Bró timpeall ceathrú míle ó Inis Mhic Fhaoileáin agus tá bealach eatarthu go nglaotar an Bealach Caol air. Gaoth aduaidh a bhí ann, agus an lá róchrua do bheirt acu chun dul ag tarrac na bpotaí, ach lá maith iascán ab ea é, dar leo. Ní mar a síltear a bítear, áfach. Chuir Seán Pádraig i dtalamh ar chliathán Inis na Bró agus dhá mhála aige agus rámhainn. D'fhan sé féin ag ainliú os a choinne amach, mar bhí camfheothain ghaoithe ag teacht de dhroim Charraig Scoiltithe anoir air agus cuid acu dainséarach go maith, mar tá camfheothain riamh dainséarach, pé acu ar an bhfarraige nó ar an dtalamh. Déarfainn gur measa ar an bhfarraige iad, mar bíonn siad ag casadh ar chuma an rotha agus pé rud a bheidh rompu beidh sé acu.

Bhí Pádraig ag baint leis agus pé súilfhéachaint a thug sé amach chonaic sé an naomhóg iontaithe agus a béal

fúithi, slán mo chomhartha, agus Seán ó Sé curtha amach
aisti, agus an naomhóg ag imeacht ag an bhfeothan, í mar
bheadh cleite, mar feothan millte b'ea é. Bhí Pádraig ag
féachaint amach agus a chroí go dtína bhéal le scanradh
agus le huafás. Bhí sé in oileán mara agus an fear eile
báite os a choinne amach, gan faic le déanamh aige dhó.
D'fhan sé ag faire amach agus ar deireadh chonaic sé
Seán ag éirí aníos, ach mo dhíth, d'imigh sé síos aríst agus
d'fhan sé thíos. Cheap Pádraig ansan go raibh sé féin
chomh caillte leis, mar bhí an naomhóg bailithe léi isteach
i mbéala cuasa, mar ar chuir an ghaoth í.

D'fhág sé ansan na hiascáin a bhí bainte aige agus thug
sé leis a rámhainn síos fén gcuas mór diamhair mar a
raibh an naomhóg agus a tóin in airde. Bhí a chosa ag
lúbadh fé tríd an gcuas síos, mar bhí an t-eagla dulta ina
chroí agus an tráthnóna ag teacht air, gan aoinne aige a
bhainfeadh an brón dó, agus éanlaithe na farraige ag
scréachaigh ar thóir sailleán. Sháigh sé uaidh amach an
rámhainn agus chuir sé an cúilín fé chlár deireadh na
naomhóige agus tharraing sé chuige isteach í agus bhí sé
á casadh agus agus á hiontú nó gur thug sé a béal in airde
aríst. Is mó fear eile a shínfeadh siar agus a gheobhadh
bás, ach bhí Dia ag cabhrú leis mar a dúirt sé féin ó shin.
Chuaigh sé isteach sa naomhóig ansan agus thóg sé na
maidí rámha a bhí caite isteach ag an ngaoith sa chuas.
Bhí dhá dhola i ngreim fén raoiseach inti, ach bhí an
chuid eile acu imithe ag an bhfarraige, mar dolaí iarainn
ab ea iad.

Thug sé sall fé Inis Mhic Fhaoileáin ansan go buartha

uaigneach, gan duine aige a gcuirfeadh sé a ghearán in
iúl dó. Nuair a chuaigh sé go dtí an oileán uaigneach bhí
madra Sheáin ó Sé ar bharra na trá agus nach aon olag-
ón aige fé mar a bheadh ag duine, agus é luite ar a
chorragiob. Bhí a mhadra fhéin tagtha anuas an trá
roimis, ach níor chorraigh madra Sheáin ó Sé, ach é ag
caoineadh go fada bog binn. B'ait an rud é sin agus ní
chreidfinn é mura mbeadh go raibh béal na fírinne á rá
liom.

Bhí sé ag gabháil den naomhóig nó gur shaor sé ón
uisce í agus cheangail sé ansan í agus thug sé in airde fén
gCarraig Bhrónach agus nach aon tsúil soir ar Inis na Bró
aige, san áit a scar sé lena pháirtí. Nuair a chuaigh sé ar
bharra na trá bhí madra Sheáin ó Sé ar an gcuma
chéanna, ins a' tslí dhuit gur chuir sé dhá oiread eile
uaignis air. Thug sé fén dtigh suas agus d'fhan an madra
ar bharra na trá ina dhiaidh, ach lean a mhadra fhéin go
dtí an dtigh é. Dhein sé tine ansan ar Chnocán na Tine
chun a chur in iúl do mhuintir an Oileáin Mhóir go raibh
rud éigin bun os cionn leis. Ní deintí tine sna hoileáin
iargúlta san gan bun a bheith léi, mar comhartha drochní
ab ea an tine d'fheiscint iontu. Bhíodh áit oiriúnach chun
í dhéanamh agus nuair a chíodh fear an Oileáin Mhóir í
d'aithníodh sé go mbíodh rud éigin suas. Chonaic fear de
mhuintir Chearnaigh an tine. Dúirt sé an scéal leis na
hOileánaigh eile, ach níorbh fhéidir dul ag triall ar an
bhfear aonarach, mar bhí an fharraige imithe di féin ag
an stoirm.

D'fhan Pádraig ó Dálaigh in Inis Mhic Fhaoileáin ina

aonar an oíche sin agus tuigeadh dó go raibh fiche bliain
ar fad inti. Níor chuaigh sé in aon chodladh, ach é síos
suas trí lár an tí agus scian mhór 'na láimh aige ar eagla
roimis na bpúcaí. Ní le heagla roimis an bhfear a bhí báite
é, mar bhí a intinn ag brath leis sin ach cathain a bhuail-
feadh sé an doras isteach aríst chuige. Ach b'shin é an
brath a chuaigh in éag. Tháinig madra Sheáin ó Sé 'on
doras ar dheireadh na hoíche agus d'fhan sé ag gol sa
bhuaile go dtí maidin gheal. Tá san chomh fíor is tánn tú á
léamh.

Bhí breis bhoigíocht ar an lá amáireach agus chuaigh
naomhóg cheathrair ag triall ar Phádraig agus thugadar
aniar go dtí an Oileán Mór abhaile é agus é go suaite
breoite. Ní raibh an lá san leis rómhaith, ach chuadar sa
tseans mar bhíodh ana-mhuinín as an ArdMháistir i
gcónaí againn. Chuaigh a raibh de naomhóga san Oileán
ag cuardach Sheáin ó Sé cúpla lá ina dhiaidh sin ach an
bhfaighidís caite isteach in aon chladach é. Thugadar
dhá lá ar a chuardach agus fearaistí acu, ach ní raibh aon
tseans ar é fháil. Bhí sé bailithe leis ag na taoidí, mar níl
faic timpeall na n-oileán ach taoidí.

Sin é an chuimhne is sia siar i mo cheann, mar bhíodh
ana-uaigneas orainn ag gabháil de dhroim thí Sheán ó
Sé. Bhíodh sé dúnta amach, mar ní raibh aoinne sa tigh.
Fear singil ab ea Seán. Is minic a théinn le bainne chuige
agus thugadh sé mám mhór siúcra dhom agus deireadh
sé 'Mo ghreidhn do charadas.' Beannacht Dé lena anam.

Chuaigh Pádraig ó Dálaigh ag iascach ina dhiaidh sin
san Inis. Chaith sé dul, mar ní bheathaíonn an marbh an
beo.

22

An Nollaig ar an Oileán

BA MHÓR AN SPÓRT a bhíodh againn le linn na Nollag a
theacht, ní fheadar aoinne é ach sinn féin. B'fhada linn lá
agus oíche sara mbíodh sí tagtha. Théimis ag baint
eidhneáin agus téadáin againn chun dul síos sna faill-
teacha, mar bhíodh an t-eidhneán i ndrocháit ag fás.
Scaoilimis fear síos sa bhfaill agus téadán ar a chom agus
bhíodh sé ag baint an eidhneáin agus á chaitheamh uaidh
síos ar an dtráigh. Bhíodh na gearrchailí thíos agus
bhailídís é. Chuirimis mórdtimpeall ar na fuinneoga go
léir é agus ar na prócaí bhíodh fés na coinnle. Théimis
ar an gcnoc ansan agus thugaimis moltacháin mhóra
ramhra linn agus chuirimis an scian go dtí an gcois iontu
Oíche Nollag. Bhíodh caora ar crochadh anuas ins nach
aon tigh Oíche Nollag agus an fear ná beadh an chaora
aige, roinntí leis. Lasadh bean an tí na coinnle ansan, nó
mura mbeadh aon bhean sa tigh chaitheadh fear an tí iad
a lasadh. Is dócha gur piseog é sin. Nuair a bhíodh na

coinnle lasta ba dhóigh leat gur beairic saighdiúirí b'ea an baile, mar bhí na tithe istigh ina chéile ann agus ba dhóigh leat gurb aon tigh amháin é.

Timpeall a dódhéag a chlog chuireadh bean an tí punann tuí sa doras agus má bheadh aon tseanduine sa tigh déarfadh sé, 'Oíche Nollag is beannaithe an oíche í, agus ní ceart dul a chodladh gan do bholg a líonadh.'

Bhí seanduine de mhuintir Shúilleabháin san Oileán le mo linnse agus Oíche na Coda Móire chuireadh sé bullóg aráin leis an ndoras roimis an suipéar. Bheireadh sé ar an mbullóig a bhíodh ar an mbord agus bhaineadh sé fíor na croise de féin agus théadh sé go dtí an ndoras agus dhúnadh sé amach é, agus deireadh,

'An donas amach agus an sonas isteach agus fógraím an gorta go Tír na nGortach.'

Bhaineadh sé trí mhanta as an mbullóig ansan lena fhiacla agus chaitheadh sé uaidh ar an mbord aríst í. Bhí seanduine de mhuintir Shé ar an dtaobh thoir den mbaile agus tigh beag aige agus is é an rud a deireadh sé sin Oíche na Coda Móire,

'An donas amach agus an sonas isteach agus fógraím an gorta sa Cholony siar.' Ba dhiail an dream seoigh na seandaoine.

Sé an t-am a bhíodh an dinnéar againn Oíche Nollag ná a cúig a chlog tráthnóna. Bhíodh prátaí breátha againn agus pollóga leasaithe agus praiseach agus oinniúin orthu. D'íosfá do mhéireanta ina ndiaidh. Théimis ag siúl ansan ó thigh go tigh ach cén tigh is deise a bheadh déanta suas. Bhíodh an chorón ráite an uair sin againn agus an chuid eile den oíche fén dtor. Bhíodh tine bhreá dhearg ins nach aon tigh agus gaineamh croite ar an urlár agus í ag glioscarnaigh le solas na gcoinnle gur dhóigh leat gur méarnáil a bheadh sa bhfarraige í oíche dhuibhré. Bhíodh fear an tí ag glanadh phutóga na caorach chun iad a líonadh i gcomhair Oíche Chinn Bhliana agus iad a ithe maidin Lae Coille, mar b'shin é an chuid ab fhearr den scéal. Bhímis ag imeacht ó thigh go tigh Lá Coille agus deirimis, 'Fógraím iarsma ort, móide thoir agus móide thiar ort, agus mar a dtabharfair faic domhsa go n-ithe an bhliain thú.'

Bhí fear san Oileán fadó, agus ní raibh aon bhullóg aráin aige le cur leis an ndoras Oíche na Coda Móire. Dúirt sé lena bhean clár an chorcáin a thabhairt dó agus go ndéanfadh sé an gnó. Thug sí agus chuaigh sé go dtí an ndoras leis agus dúirt, 'An donas amach agus an sonas isteach, anocht agus bliain ó anocht agus an uair sin leis.' Nuair a bhí an méid sin ráite aige thug sé fé thrí mhanta a bhaint as chlár an chorcáin, ach má thug, dhein bullóg aráin den chlár. Is minic a chuala an scéal san ag m'athair críonna agus deireadh sé ná raibh aon bhréag ann. Is sampla a deineadh den bhfear san ab ea é mar bhí an creideamh láidir ag's na daoine an uair sin. Is dócha ná déanfaí aon bhullóg aráin d'aon chlár corcáin anois, mar tá an plúr ródhaor.

23

An Fear gan Aird

SA MBLIAIN 1931 tháinig fear ón Oileán abhaile ó Mheir-
iceá tar éis daichead bliain a bheith tugtha aige ann. Ní
raibh aoinne dena mhuintir ina mbeathaidh nuair a
tháinig sé agus ní bhfuaireadar aon tuairisc riamh uaidh
an fhaid a bhíodar ina mbeathaidh, mar is ea bhíodh
tamall anso agus tamall ansúd aige.

Bhíodh sé ag imeacht ó thigh go tigh san Oileán nuair
a tháinig sé agus cion maith ag na daoine air, mar
cheapadar go raibh na bainc lán d'airgead aige agus ná
beadh aon cheal go deo ar aoinne a luífeadh sé leis. Bhí
culaith mhaith éadaigh air agus hata glas, fé mar bheadh
ar mhinistir maith láidir. Bhí saol maith aige an chéad dá
mhí, ach ar deireadh bhraith na daoine air ná raibh
pingin rua aige, mar d'ólfadh sé a raibh de thobac á
chasadh ach ní thabharfadh sé faic uaidh. Mar dúirt an
seanfhocal áfach, ní fhaigheann lámh iata ach dorn
dúnta. D'fhág sé an tOileán ansan nuair a bhraith sé na

134

daoine iontaithe ina choinne agus chuaigh sé 'on Daing-
ean ar feadh tamaill go dtí daoine muinteartha bhí aige
ann. Níorbh fhada choimeádadarsan é mar ní bhfuair-
eadar boladh an airgid uaidh. Is mó go mór a bhíodh
sé ag lorg orthu, ach ní fhaigheann síorlorg ach an
síoreiteach.

Tháinig sé 'on Oileán aríst agus thug fear de mhuintir
Chearnaigh seanthigh dó go mbíodh an braon anuas
agus an braon aníos ann. Ba chuma leis an seanphoncán
ach a bheith istigh ó spéir na hoíche, mar bhí taithí aige ar
an anró, an fhaid a bhí sé i Meiriceá. Amach sna coillte a
chaith sé a shaol ann, tamall ag obair agus tamall ag ól. Ní
raibh aon pháirt de Mheiriceá ná gur bhuail sé cos ann.
Bhí seanfhothrach tí lena uncail i lár an bhaile agus
dúramar leis gurbh fhearr dó ceann luachra a chur air
agus go gcabhróimis féin leis chun nach aon ní.

'An diach,' a deireadh sé linn, 'níl an t-airgead agam
chun an adhmaid a cheannach agus dá mbeadh dhéan-
fainn tigh maith den seanfhothrach agus ansan bheadh
mo thigh féin agam.'

'Bheadh,' a deirinnse leis, 'agus do naomhóg féin.
Bheadh potaí nach aon bhliain eile agat agus ní bheadh
aon fhormad le haoinne ansan agat.'

'An diach, a Sheáin,' a deireadh sé. 'Bheadh mo
naomhóg féin agam agus ní bheadh aon fhormad le
haoinne ansan agam.'

Pé caint a déarfá leis déarfadh sé i do dhiaidh an chaint
chéanna; fear dearóil ab ea é. Dúramar oíche leis gurbh
fhearr dó dul ag bailiú airgid ó thigh go tigh agus go

bhfaigheadh sé oiread is cheannódh an t-adhmad dó
chun ceann a chur ar an seanfhothrach agus ansan ná
beadh aon spleáchas le haoinne aige.

'An diach ná beadh aon spleáchas le haoinne ansan
agam.'

D'imigh sé lá ag bailiú ó thigh go tigh agus tráthnóna
bhí cheithre punt bailithe aige, mar thug nach aon tigh
scilling dó agus cuid acu dhá scilling, ach bhí aon tigh
amháin ar an mbaile nár thug faic dó.

'An diach, dá mbeadh buille dorn fachta ag an bhfear
san ná déanfadh sé aon díobháil dó. Seanbhligeárd é féin
agus an bhean mhallaithe atá aige. Tá an goimh orthu i
dtaobh mise bheith ar an mbaile. Dá mbeidís i Meiriceá is
fadó bhíodar marbh ann mar ní dhéanfaidís aon mhaith
ar aoinne.'

Chuaigh sé 'on Daingean seachtain ina dhiaidh sin
agus cheannaigh sé an t-adhmad agus d'ól sé an farasbarr
agus thug sé an t-adhmad 'on Oileán leis. Dheineamar na
cúplaí ina theannta agus chuireamar ar an bhfothrach dó
iad. Bhain sé luachair ar an gcnoc ansan agus scraithíní
agus chuir sé anuas ar an adhmad iad. Bhuail sé na fallaí
le cré bhán ins a' tslí dhuit go raibh botháinín deas ansan
aige agus leaba luachra sa chúinne fé mar a bhíodh sa
tseanshaol. Bhímis bailithe isteach nach aon oíche ansan
ina theannta mar tigh argail ab ea é. Bhíodh sé ag
eachtraí dhúinn ar na háiteanna ar ghabh sé i Meiriceá
agus ní bhíodh ach an scéal eachtraithe aige nuair a
buailtí an doras lasmuigh le cloich chun go mbeadh seó ar
an bhfear istigh, mar bhí cleas crosta go maith ag éirí suas

ar an Oileán an uair sin. Ba mhar a chéile idir gharsún agus ghearrchaile iad. Ní raibh rogha ná díogha le baint astu. D'éiríodh an fear istigh nuair a buailtí an doras agus théadh sé amach ach an mbéarfadh sé ar lucht na gcleas, ach bhíodar ró-ábalta dhó.

Is cuimhin liom oíche a caitheadh cloch ar an ndoras agus d'éirigh sé ón gcúinne agus chuaigh sé 'on doras. Bhí Séamas Mhéiní sa chúinne eile den dtigh agus nuair a chonaic sé sa doras é, thug sé fé le práta agus bhuail sé thiar sa chúl é. Rith fear an dorais amach, mar cheap sé gurb ón dtaobh amuigh a tháinig an piléar air agus bhí nach aon bhúir aige i ndiaidh na ngarsún a bhí lasmuigh ach an bhféadfadh sé breith ar aoinne acu, ach chuaigh dó. Nuair a bhí sé ag teacht isteach bhuail feothan gaoithe ó Mhám na Leacan an hata agus chuir sé glan amach ar an bhfarraige é, mar oíche mhór fhiáin ab ea í.

'Sea,' arsa Séamas Mhéiní leis, 'níor bheiris ar na gearrchailí agus stoitheadh a bhaint as na cluasa acu.'

'An diach nár bheireas, a Shéamais, agus níl faic de bharr dul amach agam ach mo hata bheith imithe ag an ngaoith uaim agus gan sa tsaol agam ach é.'

'Dhera,' arsa Seán Mhaurice Mhuiris leis, 'tá seanhata ag m'athair agus tabharfad chughat é, mar is dócha ná caithfidh sé é ó tá an t-aos ag baint an bhoinn uaidh. Tá hata nua aige féin.'

'An diach, a Sheáin, tabhair chugham é mar tá mo phlaitín chomh maol le hubh. Thit an ghruaig díom nuair a bhíos i Meiriceá agus ní fhásfaidh sí go deo aríst orm, mar bhí an iomad íle agam á chur chuichi.'

D'imigh Seán agus thug sé chuige an hata. Nuair a chuir sé air é, ba dhóigh leat gur púca peill é mar bhí an hata rómhór dó agus chuaigh sé síos go dtína dhá ghualainn air fé mar raghadh corc síos i mbuidéal. Ba mhór an fear seoigh é, beannacht Dé lena anam.

Fuair sé sean-naomhóg mhór ó Maurice Eoghain Bháin agus dhein sé naomhóg bheag di. Chuaigh sé ag iascach ghliomach an bhliain sin agus gan sa naomhóig bhig ach é féin. Ní raghadh aoinne ina theannta inti mar feall ar iontaoibh ab ea é, mar níor dhóichide duit áit a chuirfeadh sé an naomhóg ná in airde ar charraig chloiche agus tú a bhá. Ní raibh aon fhéachaint roimis aige ach a bheith ag rámhaíocht leis ar chuma na geilte. Théadh sé siar go hInis Tuaisceart ina aonar agus nuair a thagadh sé abhaile tráthnóna ní thabharfá deich triuch air, bhíodh sé chomh traochta san ag an lá. Ní bhíodh faic le n-ithe aige ach ordóga portán; ach aon ní amháin, go raibh sé chomh folláin le breac.

Bhí mórán stróinséirí ar an mbaile an bhliain sin. Is dócha ná raibh oiread riamh ó shin agus ná beidh go deo aríst. Bhíodar ón nGearmáin agus ón dTír Fó Thoinn ann agus ós gach aon áit agus a dteanga féin ag gach aoinne acu, fé mar bhí ár dteanga féin againne. Bhí triúr gearrchailí ó Bhleá Cliath i dtigh Sheáin Mhicil agus dúirt Seán Mhaurice Mhuiris leis an bPoncán Peats go raibh ana-éileamh ag duine des na gearrchailí air agus go ndúirt sí leis dul síos go dtí tigh Sheáin Mhicil anocht, mar gur theastaigh cuideachta uaithi. Peats an ainm a thugaimis air, mar níor mhaith leis a shloinne a lua.

'An diach, a Sheáin, go bhfacas-sa í sin inniu agus go raibh sí ag féachaint idir an dá shúil orm agus d'aithníos go raibh éileamh aici orm. Tá sé chomh maith agam dul síos anocht chuichi agus í a thabhairt amach tamall den oíche mar ní fheadar aoinne cá mbeadh a sheans.'

'Ambaiste,' arsa Seán leis, 'b'fhéidir go bpósfadh sí thú agus ansan bheadh do chóta bán déanta.'

'An diach, a Sheáin, b'fhéidir go bpósfadh sí mé agus bheadh mo chóta bán déanta ansan.'

'Má théann tú síos go dtí an mbean uasal san,' arsa mise, 'níor mhór duit a bheith déanta suas go maith. Tá sé chomh maith agat an treabhsar bán a chuir Pádraig ó Braonáin chughat a chur ort agus dá mbeadh aon léine bhán agat, bhís chomh maith le haoinne des na Searcanna.'

'An diach, go mbeinn chomh maith le haoinne des na Searcanna dá bhfaighinn an léine bhán.'

'Téire siar go dtí Muiris ó Catháin,' arsa Seán Mhaurice Mhuiris, 'mar tá mórán léinteacha tugtha ó Mheiriceá aige agus tabharfaidh sé ceann acu duit i gcomhair na hócáide atá romhat amach.'

'An diach, go dtabharfaidh sé ceann acu dom i gcomhair na hócáide atá romham amach.'

D'imigh sé siar go dtí Muiris agus thug seisean léine bhán do Pheats agus tháinig sé aniar ina theannta. Ní raibh Muiris ach tagtha ó Mheiriceá mí roimis sin, ach bhí tomhas Pheats tógtha go maith aige. Bhí Peats anashásta, mar bhí sé curtha le haer an tsaoil againne. An té ná múineann Dia, ní mhúineann duine é. Bhearr sé é féin

ó bharr na cluaise le seanrásúr ná raibh aon bhéal inti
agus chuir sé air an léine bhán agus an treabhsar bán agus
an seanhata. Chuir Muiris ó Catháin bóna agus carbhat
ansan fé agus scaoileamar uainn an doras amach é.

Bhí an oíche go domhain ann agus d'imigh sé uainn
síos go tigh Sheáin Mhicil. Nuair ab am linn é bheith
thíos, d'imíomar ina dhiaidh agus d'fhanamar ag faire sa
bhfuinneoig air. Bhí sé suite istigh ar chathaoir cois na
tine agus an triúr gearrchailí os a choinne amach agus iad
ag léamh agus mo stumpa gamaill ag féachaint orthu
agus sinne sa bhfuinneoig ag féachaint air sin. Nuair nár
bhraith sé aon fhonn cainte ar na gearrchailí d'éirigh sé
agus thug sé fén ndoras amach agus cuma an leathamad-
áin air. Ritheamar an méid a bhí inár gcorp agus bhíomar
ag an seanthigh roimis, mar níor mhaith linn sinn féin a
thabhairt le taispeáint dó. D'fhágamar i gceo é.

Nuair a tháinig sé go dtí an dtigh níor labhair aoinne
againn faic leis go ceann tamaill ach sinn ag leamhgháirí,
mar mura mbeadh agat ach an gáire chaithfeá é dhéan-
amh fé. Ar deireadh d'fhiafraíos fhéin de conas a bhí an
cailín nó an raibh sí istigh roimis.

'An diach, a Sheáin, go raibh sí istigh agus tuigeadh
dom go raibh sí ana-bhuí anocht agus níor labhair sí focal
an fhaid a bhíos istigh, pé rud a bhí uirthi.'

'Tá fhios agamsa go maith cad a bhí uirthi,' arsa Seán
Mhaurice Mhuiris. 'Tá an iomada grá aici duit le go
bhféadfadh sí labhairt leat. Bhí sé ceart agat glaoch siar
chun barra na trá uirthi, mar sin é an fáth go ndúirt sí
liomsa a rá leat teacht anuas anocht—chun go dtabharfá
ag bhálcaeracht tamall den oíche í.'

'An diach, a Sheáin, gurb shin é an fáth go ndúirt sí liom teacht anuas anocht, chun go dtabharfainn ag bhálcaeracht tamall den oíche í.'

Dia linn agus Muire, nár mhór na diabhail sinn agus a bheith ag magadh fén bhfear bocht críonna ná raibh blúire meabhrach ina cheann ach meabhair leis fhéin. Bhíodh ana-chuideachta againn air mar déarfadh sé nach aon ní leat ar chuma an linbh, ach deirtear go mbíonn an duine ina leanbh dhá uair. Dá dtabharfá a raibh d'airgead ag Damer dó, ní bheadh aon bhuíochas aige ort agus thabharfadh sé an focal ba mheasa ina phus tráthnóna dhuit. Ach ní raibh aon leigheas aige air sin. Cros ab ea iad san a bhí curtha air, mar tá a chros fhéin ar gach aoinne. Mhair sé leis an saol, chomh maith leis an bhfear a mbíodh a dhá cheann i dtalamh aige ag obair, ag iarraidh teacht air seo agus air siúd.

24

An Dole

SA MBLIAIN 1933 tháinig ráfla amach go bhfaigheadh nach aon duine a bhí díomhaoin airgead, suite ar a dtóin. Bhíodh an scéal san ar bun againn nach aon oíche, go mórmhór ag's na seandaoine, nuair a bhídís bailithe le chéile sa tigh a nglaomais an Dáil air.

'Mhuise,' a deireadh fear an tí, 'ná creidíg' an scéal san agus ná bíodh an croiceann chomh bog oraibh is go ngéillfeadh sibh dhó, chun a rá liom go bhfaigheadh daoine atá saibhir airgead díomhaoin.'

Deireadh Maurice Mhuiris leis, 'Má thánn tú saibhir ní bhfaighir é agus ná bíodh aon chaint eile ort ach an méid sin.'

'Bascadh air mar airgead,' a deireadh fear an tí. 'Is mó lá cruaidh a chuireas-sa isteach agus ní bhfuaireas aon phingin riamh ó aoinne ach an méid a thuilleas le mo dhá láimh féin agus má fhaigheann sibhse airgead díomhaoin anois cuirfidh sé a thuilleadh teaspaigh oraibh agus ní dhéanfaidh sibh aon lá iascaigh go deo aríst.'

142

Sea, bhí an ráfla fíor agus d'imigh sé cinn de naomhóga
againn 'on Daingean. Bhí daichead duine againn ann idir
óg agus aosta. Bhíos-sa agus m'athair agus mo dhriotháir
Mícheál ann, agus shiúlamar 'on Daingean nach aon
choiscéim den tslí. Níor bhraitheamar é mar bhí an
chuideachta againn i dteannta a chéile. Nuair a chuamar
go dtí Oifig an Dole sa Daingean ní raibh aon radharc le
feiscint againn ach daoine. Bhíodar ó dhoras na hoifige
suas go dtí barr Shráid na nGabhar agus nach aon duine
ag faire ar a sheans chun dul isteach go dtí an mbainis-
teoir chun a ainm a chur ar leabhar an Phoor House.
Chuamar féin isteach go dtí Seosamh ó Curráin—
siopadóir mór is ea é—agus dúirt m'athair leis go
gcaithfimis fanacht sa Daingean anocht, mar ná féad-
faimis dul isteach san oifig chun ár n-ainm a chur síos.
   'Ní gá dhaoibh fanacht sa Daingean,' arsa Seosamh leis.
'Leanaíg' mise,' ar sé, 'agus déarfad leis an mbainisteoir
tosach a thabhairt daoibh mar go bhfuil sibh i bhfad ó
bhaile agus an fharraige mhór agaibh le cur díbh.'
   Leanamar é agus thug sé isteach san oifig sinn agus
dheineamar ár ngnó go tapaidh. Bhí daoine móra fiáine
anuas ó bhun na gcnoc ann agus leataobh díobh bearrtha
agus leataobh díobh gan bearradh. Thángamar abhaile
déanach go maith an oíche sin, mar chaitheamar é shiúl
aníos aríst mar ní raibh na pócaí fé dhúinn chun aon
mhótar a dhíol. Is dócha dá mbeadh nach ag lorg airgid
Poor House a bheimis. I gceann seachtaine ón lá san
fuaireamar an dole. Cheithre scilling sa tseachtain a
fuaireas féin agus cheithre scilling Mícheál agus seacht

scilling m'athair. Dia linn agus Muire, b'é airgead an
Phoor House i gceart é.

I gceann leathbhliana ina dhiaidh sin, fuair m'athair a
bheith ina fhear poist ón Oileán go dtí Dún Chuinn, dhá
uair sa tseachtain. Chaith sé an post san a thógaint nó
bhainfí de na pinginí dole. Bhí daoine ina choinne i
dtaobh gur thóg sé an post san, ach chaith sé é thógaint.
D'fhan sé istigh ón bhfarraige ansan agus bhí deireadh le
hiascach aige, mar chaitheadh sé dul go Dún Chuinn Dé
Máirt agus Dé hAoine. Dhá scilling déag sa tseachtain a
bhí aige. Bhí sé beag, ach má bhí féin ní raibh a mhalairt
le fáil. Is mó drochlá maith a bheir trasna an bhealaigh
isteach air mar bhíodh sé ar a dhícheall chun an post a
rith, mar fear díreach macánta b'ea é. Cailleadh é sa
mbliain 1942 agus bhí uaigneas ar chríonna agus óg 'na
dhiaidh. Níorbh iontas é sin, mar is mó duine thug sé
trasna an bhealaigh, idir chomharsain agus chuairteoir
agus ní dúirt sé le haoinne riamh acu, 'Is cam atá 'úr
n-eireaball oraibh.'

Bhíomar ana-shásta ansan agus cheithre scilling ón
bPoor House againn agus blúire tobac agus píp chré a bhí
chomh dubh leis an bhfiach. Gheibhimis an t-airgead tríd
an bpost nach aon tSatharn, fé mar a gheobhadh aon
tseanshaighdiúir a phinsean. Ní raibh aon ghearán
againn air chomh fada is go raibh sé á fháil díomhaoin
againn, mar deirtear gur mór ag an mbocht beagán. Bhí
halla rince tógtha i mBaile an Fheirtéaraigh le linn an
dole a theacht amach agus bhímis ag bailiú na bpinginí
chun geábh a thabhairt inti agus lá spóirt a bheith againn i

mBaile an Fheirtéaraigh. Bhíodh anoir agus aniar ag
teacht 'on halla mar b'í an chéad halla nua a bhí sa
cheantar. D'imíomar maidin bhreá Domhnaigh ón Oil-
eán, mé féin agus Paidí Ghobnait agus Maidhc Mhicil
agus Seán Pheats Tom agus chuamar go dtí an Aifreann i
nDún Chuinn agus chuamar as san ag siúl go dtí Baile an
Fheirtéaraigh. Ní raibh aon dathacha sna cosa an uair sin
againn ach iad ag imeacht uathu féin. Bhí deich scilling
ag gach aoinne againn d'airgead an Phoor House agus
sin é an deich scilling a d'imigh go tapaidh. Bhí an ghaoth
fachta aige sara raibh leath an lae imithe. Bhí dhá phiúnt
an duine againn agus bosca Woodbines. Bhíomar chomh
sásta le diúc ansan. Chuamar 'on halla an oíche sin agus
dhíolamar toistiún ar an ndoras. Saor go maith a bhí sé.
D'fhanamar ag rince nó gur dúnadh an halla mar ní
raibh á thaibhreamh riamh dúinn ach rince agus rancás.
Is dócha gurbh é aer na farraige a bhí á dhéanamh,
murab é bhí an ceann corraithe orainn. Nuair a bhí an
siamsa suas bhí nach aon duine ag baint a thí féin amach,
ach chaithfeadh na guardail tabhairt fén bhfarraige.

Scaoileamar aduaidh timpeall a haon a chlog san oíche
agus sara rabhamar i nDún Chuinn bhí na cosa bainte
ag's na bróga dínn, mar bhí an siúl rófhada agus na stocaí
róramhar agus gan faic inár mboilg ach an dá phiúnt a
bhí ólta ar maidin againn agus an diabhal a rabhadarsan
féin le moladh. Dríodar soithigh ab ea iad, mar níor fhág
an feall an tábhairneoir riamh agus nár fhága, gan olc
domsa ná duitse. Bhí an oíche go haoibhinn agus scáth
na talún le feiscint sa bhfarraige againn, mar bhí an

ghealach ghlórmhar ag cur di aníos de dhroim Shliabh
an Iolair agus í ag taitneamh anuas ar an bhfarraige.
Ní fada isteach a bhíomar nuair a chualamar na faoileáin
ag scréachaigh fé mar bheidís ar thóir sailleán. Bhíomar
ag druidim leo i gcónaí nó gur thángamar ana-ghairid
dóibh. Sin é an uair a léimeadar ón bhfarraige uainn agus
cad a bheadh ina ndiaidh ná soitheach mór turpentine.
Chuireamar an naomhóg taobh leis agus bheir Seán
Pheats Tom ar fhorra air agus dúirt go raibh sé lán go
dtína chiuir. Bhaineamar an háilléar as an seol a bhí
againn agus cheanglaíomar an soitheach leis agus
bhíomar á tharrac nó gur thugamar isteach ar an gcaladh
é. Bhí an lá chomh geal is bhí sé aon am ó mhaidin an uair
sin, mar thugamar an oíche ag tarrac an tsoithigh. Bhí
fhios againn go bhfaighimis fiacha an tobac air. Chuir-
eamar i bpoll fén ngainimh ar an dtráigh é ar eagla go
bhfaigheadh aon fhealltóir timpeall é a d'ardódh uainn é.
Bhíodh mórán stróinséirí ag siúl orainn an uair sin agus
ní bheadh a fhios agat cérbh iad, mar deirtear go mbíonn
caora dhubh ar nach aon tréad.

    Seachtain ina dhiaidh sin thugamar 'on Daingean san
oíche an soitheach agus fuaireamar deich bpunt air. Bhí
cheithre fichid galún ann. Sé chuireamar isteach sa
naomhóig é agus ghabhamar cois na cloiche soir leis nó
gur chuamar isteach le cé an Daingin, cúig mhíle dhéag
d'fharraige. Ba mhór an rámhaíocht í ó thóin an Oileáin
go dtí cé an Daingin. Bhí dhá phunt deich ag an nduine
againn de bharr an rince sin agus b'fhearr iad ná a raibh
d'airgead an Phoor House ag teacht 'on Oileán.

    Is minic a bhí ceal airgid ina dhiaidh sin orainn agus

ceal tobac chomh maith. Ghoidimis cuid mhaith de ónár
n-aithreacha, mar bhí oiread dúil againne i dtobac is go
raghaimis fén roth ar lán na pípe. Is minic a théimis suas
'on Dáil, mar ana-fhear tobac ab ea fear an tí agus
bhuaigh bean an tí air. Bhíodh an phíp chré acu istigh i
bpoll an adharta. Ní bhíodh acu ach aon phíp amháin
agus bhí an phíp sin chomh dubh le gual ó bheith ag
tarrac tríthi. Chuas féin agus Paidí Ghobnait suas oíche
agus ní raibh istigh ach beirt acu, mar bhí a gclann go léir
imithe go Meiriceá. Líon an seanduine an phíp agus
bhuail sé isteach i bpoll an adharta í, nó go mbeadh an
suipéar ite acu agus go mbeadh bleaist mhaith ina
dhiaidh acu, fé mar ba ghnách leo. Chuadar ag ithe, ach
má chuadar thugas-sa fén bpíp a bhí i bpoll an adharta
agus chuireas síos i mo phóca í. Bhuail beirt againn an
doras amach agus d'ólamar a raibh sa phíp istigh i seomra
le Maurice Mhuiris. Nuair a bhí an luaith tarraingthe
tríthi againn thugamar suas fén dtigh aríst agus chuireas-
sa an phíp fholamh i bpoll an adharta i ngan fhios don
mbeirt, mar ní ag faire orm a bhíodar ach ag faire ar an
ndeargán buí os a gcoinne amach ar an mbord. Nach
aon ghreim a d'itheadh an seanduine, chuireadh sé na
cnámha amach trí leataobh a bhéil, fé mar dhéanfadh
madra uisce.

Beannacht Dé lena n-anam, nár mhór na diabhail sinn,
ach cad a bhí le déanamh againn? Ní cheithre scillinge
dole a choimeádfadh tobac d'aoinne, cé go raibh pluga
tobac ar scilling agus réal an uair sin. Ach is mó rud nach é
an tobac a bhí ag faire ar an scilling is réal an uair sin.

D'imigh san agus tháinig so.

25

Na Stróinséirí

Nuair a thagadh na stróinséirí 'on Oileán chuireadh m'athair trí lá ag tarrac an phoist ó Dhún Chuinn, Dé Máirt agus Déardaoin agus Dé Sathairn. Na stróinséirí dhein é sin, mar bhíodh litreacha ag teacht nach aon lá chuchu agus airgead i gcuid acu, má sea níorbh é airgead an Phoor House é. Bhí hocht scilling déag ag m'athair ansan as na trí lá agus é buíoch go maith dhó.

Bhínn féin ina theannta ag dul go Dún Chuinn agus d'fhaighimis airgead ós na stróinséirí a thugaimis isteach go dtí an Oileán nach aon tsamhradh, mar bhíodh barrathaoide ar an Oileán ag stróinséirí. Má bhíodh cuid acu gan Ghaelainn ag teacht ann, bhíodh sí acu sara n-imídís. Bhíodar sa tobar ceart chun blas an tsáile a bhaint as a mbéal, mar bhíodh an blas go gránna ag cuid acu, blas an Bhéarla. Ach tabhair faoi deara gur chaitheadar an blas san a chaitheamh uathu agus luí leis an mblas a bhí ag na hOileánaigh. Nuair a raghair 'on Róimh bí i do Rómhánach leo.

148

Is cuimhin liom lá a thugamar isteach go dtí an Oileán Pádraig ó Braonáin, Séamas ó Donnchú, Maitiú ó Dochartaigh agus Eoghan ó Grádaigh. Ceathrar de Ghaeilgeoirí maithe b'ea iad. Ba dheacair a leithéidí a fháil. Bhíodar ar an gcéad chuid des na Searcanna a tháinig. Ní raibh barr cleite isteach ná barr cleite amach ar aoinne acu ach iad ag imeacht d'aon rian amháin. Bhíodar ina bhfearaibh óga láidre an uair sin agus iad ag faire ar mhná an Oileáin, mar bhí cruithneacht na mban ar an Oileán agus leasú maith á chur léi, ach theip an chruithneacht agus an leasú ar deireadh. Thug an ceathrar san mí fhada dhíreach inár dteannta agus as san amach bhídís ag teacht nach aon tsamhradh agus iad luath go maith leis, ar eagla go mbeadh na mná imithe uathu go dtí na dúthaí iasachta.

Ach ní raibh aon chuimhneamh ar na dúthaí iasachta an uair sin ag aoinne san Oileán mar bhíodh nach aon ní againn féin. Bhíodh prátaí againn agus breac éisc úir, gan trácht ar choiníní agus crúibíní muc, nó mouthorgans, fé mar a thugaimis orthu. Bhíodh caora nó dhó marbh nach aon bhliain againn ins an tslí dhuit ná bíodh aon cheal bídh orainn. Bhíodh rince agus ceol sna tithe nach aon oíche againn—ní bhíodh ós na stróinséirí ach san agus amhráin. Ní raibh aon tigh tábhairne i ngaireacht dhá mhíle dhéag dínn. Chaithimis dul go Baile an Fheirtéaraigh chun sú na heorna a fháil.

Thugas féin agus m'athair an tAthair Tadhg ó Murchú ó Dhún Chuinn lá eile agus thug sé mí inár dteannta agus as san amach bhíodh sé ag teacht nach aon tsamhradh

agus Aifreann nach aon mhaidin aige ann. Thug sé
seacht mbliana déag ag teacht 'on Oileán agus pé cuma a
mbeadh an aimsir, bheadh Aifreann aige ar an Oileán an
cúigiú lá déag d'Fhómhar.

Thagadh fear breá eile ó Chorcaigh, Críostóir mac
Cárthaigh agus bhí oiread meas ar an nGaelainn aige is
nár mhaith leis focal Béarla a chlos. Bhí sé féin agus
Risteard ó Glaisne ar na stróinséirí déanacha a bhí ag dul
go dtí an Oileán agus dá bhfaighidís a dtoil bheidís ag dul
fós ann, ach theip nach aon ní i dteannta a chéile. D'imigh
na mná agus níor fhan ina ndiaidh ach na seascacháin.
D'imigh mo dhrifiúr Máire go Meiriceá, agus phós mo
dhrifiúr Cáit Pádraig ó Braonáin agus bhí scaipeadh na
mionéan ag teacht ar an Oileán as san amach. Nuair a
screadann gé screadann siad go léir.

Thug an Taoiseach Éamon de Valera leis turas ar an
Oileán sa mbliain 1947. Bhí sé istigh in Oifig an Phoist
agus casóg bháinín air agus beirí dubh. Ba dhóigh leat
gur naomh é. Thug sé tamall den lá ar an Oileán, mar
árthach mór a bhí aige agus é ag siúl na n-oileán go léir.
Chuaigh sé as san go dtí Oileán Árann agus mórdtim-
peall an chósta. Bhí an tOllamh Cilian ó Brolcháin, ó
Choláiste na hOllscoile, Gaillimh, ann.

Is mó duine a bhí ar an Oileán nach féidir liom a
bhreacadh sa scríbhinn seo, mar bhídís ag teacht agus ag
imeacht ar chuma na mbeach. Thug an tAthair Pádraig
de Brún tamall maith dá shaol ag teacht ann agus bhí an
tAthair ó hUiginn ó Bhaile Átha Cliath bliain ann leis an
Athair Séan ó Conaill. Thugas féin agus Maidhc Mhicil

'on Tiaracht lá breá iad agus as san go dtí Inis Mhic Fhaoileáin. Thaitin an turas go maith leo mar bhí an lá go breá agus éanlaithe na cruinne bailithe timpeall na Tiarachta. Áit mhór éanlaithe is ea an Tiaracht—nach aon tsórt éan farraige inti agus a nead féin ag gach éan acu. Mhaireadh na hOileánaigh ar na héanlaithe sin sa tseanaimsir mar d'ithidís go milis iad. Is minic a d'ólaidís a gcuid fola nuair a bhídís á marú. Bhíodh an spalladh orthu sa tsamhradh agus ní raibh aon uisce riamh sa Tiaracht. Tá uisce anois ag's na fairtheoirí mar tá umar i mbéal an dorais acu.

Is mó cuairteoir a thug turas orainn, ach tá an barra bua ag dul don Athair Tadhg mar is é an sagart déanach a thug faoistin don Oileán.

26

Turas go Gaillimh

SA MBLIAIN 1936 tháinig litir ó mo dhrifiúr Cáit, a bhí pósta anois sa Ghaillimh ag Pádraig ó Braonáin, fear Dlí agus Cirt. Dúirt sí liom teacht ar feadh tamaill, mar go rabhas díomhaoin. Cheapas-sa ná cífinn an Ghaillimh go deo, mar go raibh sí rófhada ó bhaile. Ní mór na turais a bhí tugtha agam 'on Daingean an uair sin. Dúirt m'athair liom an turas a thástáil. Timpeall na Samhna ab ea é seo. Bhí an aimsir an-bhreá agus bheadh leisce ar aoinne an tOileán a fhágaint. Bhí sé fé réim an uair sin agus daoine ag teacht ó chéad áit ann. Dheineas suas m'aigne agus chuas go Dún Chuinn i mbád an phoist le m'athair. Bhíos chomh holc le fear a bheadh ag dul go dtí New Orleans, nuair chonac an naomhóg ag gabháil isteach abhaile uaim agus an fharraige ina báintéir. Chuireas díom agus bhíos ag siúl nó gur chuas go Ceann Trá, leath slí chun an Daingin. Stadas tamall ansan nó go bhfaca chugham capall agus cairt. Seanbhean a bhí ag giollaíocht agus stad sí taobh liom.

'Táim ag dul 'on Daingean,' arsa mise, 'agus tá sé siúlta ó Dhún Chuinn agam.'

'Bí istigh,' ar sise, 'agus tabharfaidh mé marcaíocht go Baile an Mhuilinn duit.'

B'shin é an chéad lá riamh a chuireas mo chos isteach i gcairt chapaill. San am is go rabhas i mBaile an Mhuilinn b'fhearr liom go mbeadh an chairt briste, mar bhíos suaite marbh, agus an tseanbhean chomh sásta le captaen árthaigh. Scaoil sí amach mé agus d'fhiafraíos an b'shin é an bóthar ceart go dtí an nDaingean. Dúirt sí gurbh é, ná raibh aon bhóthar eile ann ach an ceann go Gleann na nGealt.

'Nár lige Dia ar an mbóthar san mé,' a dúrt agus d'imigh sí uaim agus í ag gáirí.

Ní fheadar cá rabhas ag gabháil ach oiread le bheith istigh i gcathair London. Thánag amach ar shórt éigin sráide agus Béarla ag imeacht ina cheathanna ar an dá thaobh. Ar deireadh chonac fear meánaosta agus d'fhiafraíos de as Gaelainn an mbeadh eolas aige ar thigh a choimeádfadh go maidin mé. Dúirt sé liom as Gaelainn go raibh tigh anso ag coimeád lóistéirí agus thaispeáin sé dom é. Bhuaileas ar dhoras an tí agus tháinig bean mheánaosta chugham. D'fhiafraigh sí díom as Béarla cad a bhí uaim. Dúrt as Gaelainn gur theastaigh lóistín uaim, go rabhas chun tabhairt fé thuras mór fada amáireach.

'Tá go maith,' ar sí. 'Tar isteach agus suigh síos duit féin.'

Bhí a fear suite ar chathaoir mhór sa chúinne agus píp mhór fhada amach as a phus. Bhí beirt acu ag stealladh

Bhéarla le chéile i rith na hoíche, ins a' tslí dhuit go raibh
tinneas cinn i mo chosa acu. Ar deireadh thiar thall
d'fhiafraíos den mbean cathain a bheadh an luastraein ag
dul go Trá Lí.

'Ag fágaint an Daingin ar a dó dhéag ar maidin,' a dúirt
sí.

Sin é mar bhí. Nuair a d'éiríos ar maidin, bhíos ag
siúl liom nó gur chuas go dtí an stáisiún. Fuaireas mo
thicéad ansan agus dúirt máistir an stáisiúin go gcaith-
finn fanacht i Luimneach anocht, mar go mbeadh sé
déanach sara raghadh traein Thrá Lí ann agus an raibh
aon eolas i Luimneach agam. Dúrt ná rabhas riamh thar
Daingean amach. Thug sé cárta dom agus dúirt sé liom
dul go dtí ainm an tí a bhí air, ná raibh sé i bhfad ón
stáisiún—Mr Dwyer, 7 Station Row, Limerick. Léimeas
isteach sa tseanbhosca traenach. Bhog sí amach agus sé
an bogadh céanna a bhí aici go Tra Lí agus mé féin ag
brath ó uair go huair ach cathain a thiocfadh aon tsiúl
mór di, ach ní dhéanfadh an luastraein aon tsiúl breise.
Arsa mise liom féin, 'Ní bhead sa Ghaillimh go deo. Nach
mé dhein an dearmad nár fhan ag baile!' Bhí sé a cúig a
chlog sara raibh sí i dTrá Lí. Bhí an oíche ann agus an
traein ullamh chun imeacht go Luimneach.

Shuíos isteach i gcarráiste gan aoinne eile ann. Tuig-
eadh dom nár mhar a chéile í agus traein an Daingin
nuair a lasadh na soilse. Bhaineadar leathadh as mo dhá
shúil mar ní raibh aon taithí agam ar na rudaí sin. Chuala
dug-dug aici ag imeacht léi ó thuaidh agus siúl maith
fúithi. Bhíos i mo bhanbh aonair sa charráiste agus gan

aoinne i mo theannta, ach smaointe an tsaoil ag fáscadh
mo choirp fé mar a bheadh téadán tharam aniar. Bhíos
go domhain sna smaointe nó gur thángamar go hÁth
Dara. Thug sí tamall maith ann. Dúrt liom féin gur dócha
gurb é seo Luimneach agus go n-éireoinn amach sara
dtabharfadh sí go Béal Feirste mé. D'éiríos, ach tháinig
beirt fhear isteach agus shuíodar os mo choinne sall agus
bhailigh an traein léi aríst. Bhí an bheirt ag caint as
Gaelainn agus tuigeadh dom gur thiar san Oileán a bhíos.
I gceann tamaill tharraing duine acu amach bosca toitíní
agus shín sé ceann acu go dtína chara agus ceann
chughamsa. Thógas é agus dúrt, 'Go raibh maith agat a
dhuine uasail.' Nuair a chualadar an Ghaelainn ní mór
ná gur phógadar mé agus d'fhiafraíodar cad as mé. Na
Blascaodaí, a dúrt, má bhí aon eolas acu orthu. Dúradar
liom go raibh, go rabhadar timpeall Chinn Sléibhe le dhá
lá, ach ná rabhadar ar an mBlascaod.

'Is dócha,' ar siad, 'go bhfuil eolas i Luimneach agat.'

'Níl,' arsa mise, 'ach fuaireas cárta ón máistir, féach.'

'Tá eolas maith againne ar an dtigh sin,' ar siad, 'agus
ní gá dhuit aon cheist a bheith ort ná go gcuirfeamna
isteach ann thú.'

I Luimneach, d'imigh triúr againn go dtí an dtigh.
Bhuail duine acu ar an ndoras agus tháinig bean
mheánaosta chuige go raibh srón mhór dhearg uirthi
agus spéaclaí dúbailte. Thug sé tamall ag caint léi agus
dúirt sé ná beinn istigh go dtína dó dhéag.

'Tá go maith,' ar sí. 'Pé uair a thiocfaidh sé beidh fáilte
roimis.'

Isteach i hotel mór a thugadar mé. Bhí sí lán de
dhaoine agus moltachán ón Oileán ina measc. Bhí
deoch ag imeacht go flúirseach mar bheadh uisce na
habhann. Shuigh triúr againn ag ceann boird agus
tháinig freastalaí. Dúirt duine acu léi fuiscí a thabhairt
chughainn. Dúrt féin leo ná raibh aon taithí agam ar
fuiscí ach go n-ólfainn buidéal pórtair. D'fhanamar
ansan nó go raibh sé a dó dhéag a chlog san oíche agus
fuiscí dearg ag an mbeirt á ól agus buidéil phórtair
agamsa. Ní ligfidís dom aon deoch a sheasamh agus
Gaelainn á stealladh ag triúr againn gur dhóigh leat ar an
mbeirt ná raibh focal Béarla ina bpus.

Ar deireadh thiar thall chuireadar go dtí an dtigh mise
tar éis chúig mbuidéil phórtair. Nuair a bhíos ag dul
isteach thug duine acu bosca mór toitíní dom agus nár
dhiail an dearmad a bheir orm nár fhiafraigh díobh cén
ainm a bhí orthu? Is dócha go raibh an ceann corraithe
orm ag an oíche. Pé beirt iad is beirt ghalánta b'ea iad.
Bhí braon uasal iontu. Ar maidin fuaireas mo bhric-
feasta agus d'fhiafraíos de bhean an tí cén méid é. Dúirt
sí liom go raibh sé maith go leor, mar go raibh díolta as.
Bhí fhios agam féin gurbh iad an bheirt a dhíol.

Ní fada ón dtigh a bhí an stáisiún ach cúpla coiscéim,
mar dá mbeadh is dócha ná faighinn amach é. Bhí fear
romham ag doras an stáisiúin agus a ghuala isteach aige
leis agus caipín anuas go dtína dhá shúil air. Bhí mála
garbh in aice leis a raibh seanéadaí thíos ann agus cuma
air gur fear bocht oibre b'ea é. Labhras leis as Gaelainn
agus d'fhiafraíos de cathain a bheadh an traein ag

imeacht go Gaillimh. Dúirt sé amach as Gaelainn liom ná feadair sé.

'Sea,' arsa mise liom fhéin, 'is driotháir do Thadhg Riach Dónall Gránna.' Chuas sall go dtí fear a bhí tamall uainn.

'Ní imeoidh aon traein go dtí an nGaillimh go dtína dó a chlog,' ar sé.

Arsa mise liom féin, 'Tá fuílleach aimsire agam chun teileagram a chur go dtí mo dhrifiúr Cáit,' agus chuas ag caint le fear an mhála aríst. Dúrt leis gurbh fhearr dúinn bualadh síos fén gcathair go fóill. Dúirt sé ná raghadh sé in aon áit, go raibh eagla air go n-imeodh an traein uaidh agus go gcaithfeadh sé fanacht i Luimneach anocht aríst. Dúirt sé gurb ó Bhéal an Daingin i gConamara b'ea é, ach go raibh sé ag baint phrátaí i Lios Tuathail le mí.

'Táimse leis ag dul go Gaillimh,' arsa mise, 'agus téanam ort síos go dtí Oifig an Phoist mar tá cúram beag agam le déanamh.' Bhíos ag tathaint air agus tháinig sé ar deireadh, cé go raibh obair agam é a bhogadh as an áit go raibh sé.

'Fág ansan do mhála,' arsa mise, 'nó go dtiocfam thar n-ais.'

'Ní fhágfad,' ar sé agus bhuail sé thiar in airde ar a dhroim é. Thugamar síos fén gcathair agus dá olcas a bhíos-sa, ba sheacht mheasa é sin. Ní fheadair sé faic chuige ach oiread le moltachán aniar ó Inis Mhic Fhaoileáin. Ar deireadh fuaireamar amach Oifig an Phoist agus sheolas an sreangscéal.

'Téanam ort anois,' arsa mise, 'agus íosfam cúpla

briosca. Déanfaidh siad maitheas dúinn i gcomhair an
bhóthair.' Lean sé mé agus chuamar isteach i siopa beag.
Cheannaíos-sa brioscaí agus dhá bhuidéal lemonade
agus thugas ceann don mbuachaill. D'ól sé é go milis agus
d'ith na brioscaí. Chuimil sé bos dá phus agus chuir dó an
doras amach fé mar a dhéanfadh madra go mbeadh
cnámh feola fachta fén mbord aige. Déarfainn gurbh
fhearr leis an buidéal dubh ach ní thugas-sa dhó é.
Thugamar fén stáisiún aríst agus déarfainn ná faigheadh
sé amach go deo é mura mbeadh mise. Ar an dtraein, dá
fhaid a bhí an tslí, níor shuigh sé ar aon tsuíochán, ach a
cheann amach tríd an bhfuinneoig aige. Nuair a ghabh-
adh an traein fé aon droichead chúbáladh sé isteach a
cheann ar eagla go mbainfí de é. Ba dhóigh leat gur
coinín a bheadh i bpoll é agus a cheann amach. D'fhan sé
mar sin nó gur thuirling sé sa Ghaillimh. Bhí a dhá shúil
chomh dearg le súile iascaire a bheadh amuigh i rith na
seachtaine gan aon chodladh. D'imigh sé uaim agus bhí
mo dhrifiúr romham agus chuamar abhaile.

Ní raibh aoinne ag an dtigh romhainn mar bhí fear an
tí ag obair sa chúirt. Ní fheadar an ag daoradh na
ndaoine ná á saoradh bhí sé sa chúirt, ach bhí sé déanach
nuair a tháinig sé—cúirt mhór a bhí ann an lá san.
Cheistigh sé mé féin mar gheall ar an Oileán agus ar na
seandaoine bhí ann, mar bhí aithne shlachtmhar aige
orthu agus aithne acu air chomh maith, ba mhinic a líon
sé a bpíp dóibh. Fear maith ab ea é agus deirtear nár
chuaigh an mhaith amú ar aoinne riamh. Thugadh sé
airgead do dhaoine bochta a thagadh go dtí an ndoras

chuige agus is as Gaelainn a bheannaíodh sé dóibh go
léir. Ba chuma leis cad as iad. Fuair sé obair domhsa lá
thíos ag Mac Donagh, ag baint phéint de chóistí. Bhí lead
eile ón Spidéal i mo theannta agus an obair chéanna aige.
Is ea bhíomar chun dul ag foghlaim phéintéireacht, ach
b'shin í an phéintéireacht nár foghlaimíodh mar níor
thugas-sa ann ach an lá san agus ba shia liom é ná bliain.
Bhíos ag obair thiar i ngeáird mhór ann ar mo dhícheall
nuair a tháinig sagart agus d'fhiafraigh sé díom an raibh
aon dréimire timpeall. Dúrt leis amach as Gaelainn ná
feadair mar ná rabhas anso ach ó mhaidin, pé fhaid eile
bheinn ann. D'fhiafraigh sé díom cad as mé. Dúrt leis
gurb as Ciarraí. D'imigh sé uaim ach tá sé istigh i mo
cheann ó shin gurb é an tAthair Eric mac Fhinn é, cé ná
faca riamh ó shin é ach bheith ag scríobh altanna chuige
le cur in *Ar Aghaidh*, ach déarfainn gurbh é a chonac an
lá san. Thugas a chomharthaí do Phádraig ó Braonáin
agus dúirt sé sin liom gurb ea. Nuair a tháinig Pádraig ón
gcúirt d'fhiafraigh sé díom conas a thaitin an post liom.
Dúrt leis nár thaitin sé go maith ná go cóir liom, gan aon
ní dá bharr agam ach mo threabhsar breá bheith lán de
phéint tar éis an lae. Dá mbeadh fhios agamsa gur mar sin
a bheadh, is fada chífeadh an diabhal thíos Mac Donagh
agus a chuid péinte agus na seanchóistí go raibh na
rothanna ag titim uathu le críonnacht. Nuair a chuala
Pádraig an freagra bhí sé ag gáirí chugham, mar is maith
a bhí fhios aige ná luífinnse le péintéireacht.

D'fhiafraigh sé oíche eile dhíom ar mhaith liom dul go
dtí Scoil na gCeard. Dúrt gur mhaith liom slacht a chur ar

an mbeagán Béarla bhí agam, mar nárbh aon ualach d'aoinne é. Thugas leathbhliain an gheimhridh ag dul inti nach aon oíche chun slacht a chur ar an mbriolla bhrealla bhí agam, ach chun na fírinne a rá, ní mór an slacht é. Dúrt liom féin go mb'fhéidir ná beadh an teanga san chuige sa tír fós—go mbeimis go léir ar aon fhocal amháin. Bhíodh ana-chuideachta sa Ghaillimh an uair sin. Théinn go dtí an Taibhdhearc aon oíche a mbíodh dráma ann agus bhuailinn le mórán ann. Bhíos ag caint leis an Ollamh Cilian ó Brolcháin oíche mar chaith sé tamall ar an Oileán.

Thugas mí fhada eile amuigh ar an gCeathrú Rua i dteannta Mhuiris ó Súilleabháin, beannacht Dé leis, agus mura raibh spórt againn ní lá go maidin é. Bhí cuid mhaith daoine óga ar an gCeathrú Rua an bhliain sin. Nuair a chloisinn ag labhairt na Gaeilge iad d'éiríodh mo chroí, mar níl aon teanga is fearr le duine ná an teanga a bhíonn ón gcliabhán aige.

Thánag abhaile go dtí an Oileán aríst tar éis na bliana agus uaigneas mo dhóthain orm, ach d'imigh san nuair a luíos isteach leis an áit ar rugadh mé, ar chuma aon ainmhí a thagann go dtína áit dhúchais. Sin é mar bhí mo thuras go Gaillimh agamsa agus ní raibh sé go holc. B'fhearr dhom go mbeinn ag imeacht ar an gcuma chéanna fós, ach deirtear ná bailíonn cloch reatha caoineach.

27

Oifig an Phoist

SA MBLIAIN 1941 tháinig an Máistir Poist a bhí i dTrá Lí go dtí an Oileán agus dúirt go mbeadh Oifig Poist agus guthán nach aon bhliain eile againn—go raibh gá ag an Oileán leis toisc an cogadh a bheith ann. Tháinig sceitimíní orainn nuair a chualamar an scéal iontach san, mar an rud is annamh is iontach.

D'imigh an Máistir Poist abhaile, ach má d'imigh chuir formhór a raibh san Oileán fios ar fhoirmeacha iarratais i gcomhair an phoist. Chuireas féin fios ar fhoirm, mar dúrt liom féin go mbeinn sa scuchaim chomh maith le cách. Tháinig na foirmeacha i gceann seachtaine agus líon nach aon duine a fuair ceann iad. Líonadh go slachtmhar leis iad. Scaoileadh leo go Trá Lí agus as san go dtí an bpríomhchathair. Sin é an áit a deineadh an scrúdú ceart orthu mar is ann ab fhearr a bhí dochtúirí. Nuair a bhí an méid sin déanta againn, bhíodh súil nach aon duine ar fhear an phoist nach aon lá ach an mbeadh

aon tuairisc aige cé bheadh ina thaoiseach. Bhí an t-am ag
imeacht agus ní raibh aon tuairisc ag teacht agus na
hiarainn ag éirí fuar aríst, gan aoinne á mbualadh.
Cheapamar gur scéal san aer ab ea é agus ná tiocfadh aon
bhun go deo air. Ach tháinig an bun agus an barr i
dteannta a chéile air.

Tháinig an Máistir Poist aríst agus chuaigh sé isteach
go dtí's nach aon duine a raibh iarratas istigh aige. Bhíos
féin ar an gcnoc an lá san agus nuair a thánag abhaile bhí
an Máistir Poist istigh romham agus é ag caint le m'athair
mar gheall ar an Oileán agus ar an bhfarraige, mar sé
m'athair a thug isteach ó Dhún Chuinn an lá san é mar lá
poist ab ea é agus bhí m'athair agus mo dhriotháir Paidí i
nDún Chuinn. Shuíos istigh agus thug an Máistir Poist
píosa maith Gaelainne dhom le léamh agus píosa maith
Béarla agus go leor áireamh le déanamh. Cheapas gurb
ea bhíos chun dul ar scoil aríst nuair a chonac an
t-áireamh. Níor dheineas aon nath den léitheoireacht
mar táim ag léamh ó d'osclaíos mo shúile. Dheineas go
slachtmhar iad a léamh dó agus an t-áireamh a chur le
chéile go maith, mar chomhaireoinnse na réiltíní dó
chomh maith le hArastotail. Chuir sé an scrúdú céanna ar
nach aon duine, mar is chuige sin a tháinig sé 'on Oileán
agus ní chun dul 'on tráigh ag baint bháirneach. Nuair a
bhí a chúram déanta aige, chaith m'athair agus Paidí
é chur amach go Dún Chuinn aríst ach níorbh aon
chaitheamh leo é mar bhí an lá ar a dtoil acu agus fámaire
puint fachta as an dturas acu. Bhíodh nach aon duine
aríst ag faire ar an bpost tar éis an Máistir Poist a bheith

imithe ach ní raibh aon tuairisc ag teacht go dtí aoinne.

'Mhuise, a chroí,' a deireadh Neil Phaidí liomsa, 'nár mhór an chabhair a dhéanfadh an post san do Sheán so againne dá bhfaigheadh sé é, mar níl fiacha na mbróg ag an bhfear bocht agus dá bhfaigheadh sé Oifig an Phoist agus an guthán bheadh rud éigin againn dá mbarr. Ach is dócha ná gheobhaidh mar tá an iomad des na diabhail ag faire orthu.'

'Ambaiste,' arsa mise léi, 'b'fhéidir go bhfaigheadh Seán iad, má dhein sé an scrúdú go maith don Máistir Poist an lá bhí sé anso.'

'Dhera mo chroí thú geal,' ar sí, 'níor dhein Seán aon scrúdú an lá san, mar ná facaigh Seán riamh an taobh laistigh den scoil, mar ná raibh aon scoil lena linn ann ach scoil an bhriolla bhrealla.'

'B'fhéidir nach fada ón seanphinsean Seán,' arsa mise.

'Mo chroí thú liom,' ar sí, 'tá an pinsean le mí aige, ach ní mór an mhaith dó deich scilling sa tseachtain.'

Coicís 'na dhiaidh sin bhíos féin agus m'athair ag triall ar an bpost i nDún Chuinn agus bhí litir chugham féin ón Máistir Poist i dTrá Lí, go raibh Oifig an Phoist agus an guthán fachta agam ar an Oileán; go mbeinn mar Mháistir Poist as so amach agus go gcaithfinn féin an Oifig a chur suas. Thángamar abhaile agus ní dúrt faic leis na comharsain. D'fhágas i gceo iad. Dúrt liom féin nár bheag dóibh a luaithe a bheadh a fhios acu.

D'itheamar ár ndinnéar agus chuaigh sé síos go maith liomsa. Ansan d'imíos féin agus Paidí leis an naomhóig bhig a bhí againn agus chuamar ó dheas go dtí Cuaisín

Bhaile Móir chun dul 'on Daingean ag triall ar an adhmad a dhéanfadh an oifig dúinn. Tá Cuaisín Bhaile Móir dhá mhíle dhéag ón Oileán agus i ngaireacht trí mhíle don nDaingean agus bá mhór sceirdiúil is ea í. Caithfir Ceann Sléibhe agus Cuan Fionn Trá a chur díot sara mbeir i gCuaisín Bhaile Móir. D'fhanamar i dtigh mhuintir Chléirigh an oíche sin, mar bhí sé ródhéanach chun tabhairt fén nDaingean i siúl. Ar maidin bhí sé ina ghála gaoithe anoir aduaidh agus ceathanna sneachta ag imeacht sa spéir a bhainfeadh na cluasa d'asal, cé gurbh é tosach na Bealtaine é. Chuamar ag siúl 'on Daingean agus cheannaíomar an t-adhmad agus thug fear de mhuintir Shé ó pharóiste Fionn Trá siar go dtí Cuaisín Bhaile Móir dúinn é. Bhí an t-adhmad sa Chuaisín ansan againn ach níorbh fhéidir linn dul abhaile, mar bhí Cuan Fionn Trá geal le gála gaoithe. Lá arna mháireach ní raibh aon ana-mhaolú déanta ag an aimsir, ach go raibh fánú ag teacht ar na ceathanna agus an ghaoth ag lagú anuas agus í ag faire ar a bheith ag sidhíocht ó dheas. Nuair is éag don ngaoith iarr aneas í. D'fhanamar i mBaile Móir an lá san leis go dtí an oíche dhubh, mar is ag bogadh anuas a bhí sé agus ní raibh aon deabhadh orainn nó go mbogfadh sé go maith, mar ba mhar a chéile an lá agus an oíche againn.

Timpeall a dó dhéag a chlog san oíche dúirt Peats Griffin a bhí i mBaile Móir linn gurbh fhearr dúinn tabhairt fé bhaile, mar go mbeadh sé ina stoirm gheal amáireach agus ná raghadh aon bhád ar an bpoll go ceann seachtaine. Dheineamar rud air agus chuir muintir

Bhaile Móir an t-adhmad isteach sa naomhóig inár dteannta. Bhí ana-eagla orm féin tabhairt fén mbá mhór, ach ní raibh aon eagla ar Phaidí, pé rud a dhein é. Is dócha gurb ea bhí níos mó misnigh aige. Sea, d'fhágamar slán ag muintir Bhaile Móir agus thugamar fé aneas trasna an chuain agus beirt againn tríthi amach ag rámhaíocht. Níor dheineamar aon stad nó gur thángamar go dtí Ceann Sléibhe. B'shin é an chéad stad agus d'ólamar gal tobac ansan agus b'shin é an gal ná fuaireas aon tsásamh ann, mar bhí scamall mór dubh os cionn an Oileáin in airde agus an fharraige chomh ciúin le loch. Ciúnú na hoíche buanú na síne.

'Tá sé chomh maith againn gan a bheith ag moilliú, mar tiocfaidh tóir as an scamall dubh san os cionn an Oileáin agus má bheireann sé orainn beidh iarrataisí eile á gcur isteach ag daoine ar Oifig an Phoist agus ar an nguthán,' arsa mise.

Ní rabhamar ach i mBéal na Trá san am go raibh feothan dubh amach tríthi agus na fiaigh mhara bailithe i mBun na Rinne agus an fharraige ina dtimpeall bán acu lena gcuid tuair agus na róinte rite isteach ar an dtalamh tanaí agus iad ina 'mbuidéil.' B'shin é comhartha na drochaimsire i gceart agat. Thugamar isteach fén gcaladh agus ní raibh neach beo romhainn. Bhí sé in am mharbh na hoíche agus an tréighdín imithe ó thuaidh de dhroim an Oileáin agus an láir bhán trasna na spéireach. Thóg beirt againn an t-adhmad amach as an naomhóig agus tharraingíomar suas ansan í. Ní haon uaigneas a bhí orainn, cé go ndeirtear ná fuil aon áit chomh huaigneach le caladh bád. Ní raibh aon uaigneas riamh ar fhear na farraige, mar baineann scanradh na farraige de é.

Chuamar abhaile ag glaoch ar m'athair agus ar Mhícheál, mar ní raibh aoinne eile sa tigh an uair sin ach beirt acu agus mo mháthair. Bhí mo dhriotháir óg, Tomás, san arm thuaidh sa Ghaillimh ar an Rinn Mhóir. Liostáil sé an t-arm aimsir an chogaidh agus d'fhan sé ann nó gur chríochnaigh sé a théarma agus chuaigh sé go Meiriceá. Bhí Éilísín i mBleá Cliath ag múineadh Ghaelainne agus tá sí i Meiriceá ó shin. Sea, ghlaos ar m'athair agus ar Mhícheál agus dúrt leo éirí amach as na leapacha tapaidh mar go raibh sé ina chogadh agus na Gearmánaigh tagtha 'on Oileán. B'ait leo sinn a bheith tagtha abhaile, mar bhí stoirm i rith an lae ann agus farraige cháiteach ag teacht aníos go dtí's na tithe fé mar bheadh i lár an gheimhridh agus madraí uisce ag feadaíl siar ar an dtalamh garbh. Chuamar go dtí an gcaladh arís agus thugamar abhaile an t-adhmad agus lá arna mháireach bhí sé ina stoirm dhearg arís agus d'fhan sé mar sin ar feadh seachtaine.

Dheineamar suas an oifig ansan, mé féin agus Mícheál agus i gceann coicíse tháinig na hinnealtóirí agus chuireadar an guthán i bhfearas agus ar an hochtú lá déag de Mheitheamh bhí neart againn caint le Dún Chuinn.

D'fhan an guthán agus an oifig ann go dtí 1953, sin é an uair a tréigeadh an tOileán. Bhíos féin ar na daoine déanach a d'fhág é, mar caitheann captaen fanacht ar an árthach nó go n-imíonn sí síos féna chosa. D'fhan muintir Shúilleabháin bliain ina dhiaidh sin ann agus beidh sé le rá gurb iad muintir Chearnaigh an chéad dream a tháinig ann agus gurb iad muintir Shúilleabháin an dream deireanach a d'fhág é. Bhí m'athair caillte an uair sin, ach bhí Mícheál ina fhear an phoist ina dhiaidh. Nuair a bhraith sé an tOileán ag tréigean agus gan aon chabhair ann chun dul go Dún Chuinn, d'imigh sé go Meiriceá. Ní raibh aoinne ansan ann ach mé féin agus mo mháthair agus táimid ag baint lán na pípe dhe riamh ó shin. Níor ghrás féin riamh dul go Meiriceá. B'fhearr liom a bheith ar na báirnigh sa tír seo.

28

Sochraid Bhláithín ar an Oileán

Sa mbliain 1948 tháinig Barbara Bhláithín go dtí an Oileán le buachaill agus luaith a hathar istigh i mbosca copair aici chun í a scaipeadh i gClaiseacha an Dúna. Bhí an aimsir ana-fhliuch agus ana-fhuar i ndeireadh an fhómhair. Bhíomar go léir ar an gcaladh roimpi. Mo dhriotháir Mícheál agus Seán Mhaidhc Léan agus Seán Mhaurice Mhuiris a thug isteach iad, mar lá poist ab ea é agus bhí Mícheál dulta go Dún Chuinn ag triall ar na litreacha. Leanamar Barbara suas go dtí tigh Mhary Pheats Mhicí, an tigh a raibh sí ag fanacht ann, í féin agus an buachaill. Bhí sochraid mhór againn go dtí an dtigh. D'fhág sí an bosca i dtigh Mhary Pheats Mhicí an oíche sin mar bhí sé rófhliuch chun dul go Claiseacha an Dúna. D'fhanamar tamall mór den oíche sa tigh, mar tigh tórraimh ab ea é. Bhí toitíní againn á gcaitheamh agus dúirt na gearrchailí cúpla amhrán agus dúirt Barbara amhrán chomh maith. Bhí sé ina bhainis agus ina thórramh againn.

168

Bhí Paidí Ghobnait caillte an uair sin agus sé an chéad duine a d'fhiafraigh Barbara díom féin é, mar bhí sí an-mhór leis. Fear seoigh ab ea é. Dúrt go raibh sé caillte le bliain agus go raibh ana-uaigneas orainn ina dhiaidh. Nuair a chuala sí go raibh sé caillte, chrom sí ar ghol, mar chuimhnigh sí ar an óige agus ar an spórt a bhíodh againn. Tháinig deoir ó mo shúil féin chomh maith, mar chuir sí maoithneachas an tsaoil isteach i mo chroí agus isteach i gcroí nach aon duine. Bhí cúrsaí an mhaoithneachais againn, ach ní dheineann san an gnó, mar dá ndéanfadh ní bheadh cúrsaí gearáin ag aoinne. Nuair a tháinig Barbara amach as an maoithneachas san dúirt sí linn go scaipfeadh sí luaithreach a hathar amáireach pé cuma go mbeadh an lá, mar go gcaithfeadh sí bheith ag baile i Sasana aríst gan mhoill, go raibh a post ag brath léi. Bhí an lá amáireach ina phiútar báistí aríst. Bhí sí ag titim go breá bog, ach mar sin fhéin chuirfeadh sí an braon isteach ort dá mbeifeá aon tamall amuigh chuichi. Ach bhí taithí againne ar a bheith fliuch, ar chuma na ngainéad, ach ní raibh ag Barbara, ach pé méid fliucháin a gheobhadh sí ó Dhún Chuinn go dtí an Oileán.

Timpeall lár an lae tháinig sí chugham go dtí Oifig an Phoist agus d'fhiafraigh sí díom cad a dhéanfadh an lá. Dúrt go mbeadh sé béal-fhliuch ach nach fada a bheimis ag dul go Claiseacha an Dúna. Thóg sí mo chomhairle agus d'imigh sí féin agus mo dhrifiúr Éilísín go dtí an dtigh agus thógadar amach an luaith. Bhuaileadar an bosca amuigh ar an gclaí, fé mar a dhéanfaidís le haon chónra. D'imíos féin suas ina ndiaidh agus dúrt le mo

mháthair aire a thabhairt don Oifig nó go dtiocfainn ón
sochraid. Dúirt sí liom cur díom suas ar an tsochraid, mar
gurbh é Bláithín an fear ab fhearr a d'fhóir riamh ar na
hOileánaigh agus ná beadh a leithéid go deo aríst ann,
mar go raibh sé uasal agus íseal.

Nuair a chuas suas go dtí tigh Mhary Pheats Mhicí, bhí
a raibh ar an mbaile sa bhuaile ag brath le Barbara agus
leis an mbosca. Bhí clagarnach bháistí ann, ach thugamar
fén mbóthar agus Barbara romhainn amach agus an
bosca ina láimh aici riamh agus choíche nó gur chuamar
go dtí Tóchar Pheadair. Dúrt féin léi ansan an bosca a
thabhairt dom, mar go raibh droch-chosán ag dul siar go
dtí Claiseacha an Dúna. Nuair a chuamar chomh fada leis
na Claiseacha thugas di aríst é. D'oscail sí é agus chroith sí
an luaith istigh i gclais mhór ann. Bhí an luaith sin chomh
bán le plúr. Bhí radharc mhaith againn uirthi. Is dócha
gur chuaigh cuid di inár mbolg mar bhí gála gaoithe
aniar ann. Nuair a bhí an luaith croite aici dúramar ár
bpaidir fé mar a déarfaimis in aon reilig. Ba mhaith an
ceart dúinn paidir a rá le hanam Bhláithín, mar ba
mhinic a bhain sé gáire asainn agus bhaineamar gáire
as-san chomh maith. Fear ab ea é gur chuma duit cad
déarfá leis. Ní raibh aon 'níos-bhfiú' ag baint leis mar bhí
le cuid eile des na Searcanna. Chaith Barbara an bosca le
haill ansan agus chuaigh sé glan amach ar an bhfarraige
agus ní fhacthas riamh ó shin é.

Dúirt Tomás ó Dálaigh go raibh sé féin ag faire ar an
mbosca chun cearc a chur ar gor ann, ach go raibh sé caite
le haill róthapaidh dó. Thángamar abhaile agus an braon

istigh go cnámh orainn. D'fhan Barbara ar an Oileán an oíche sin leis agus lár arna mháireach tháinig sí go dtí Oifig an Phoist chugham féin aríst, mar theastaigh seoladh mo dhrifiúr Cáit uaithi. Bhí sise aistrithe ón nGaillimh go Bleá Cliath an uair sin. Ba í an páirtí a bhíodh ag Barbara ar an Oileán í sarar phós sí. Thug mo dhriotháir Mícheál go Dún Chuinn í féin agus an buachaill agus ní fhaca sí an tOileán riamh ó shin. Cailleadh i mbláth a hóige í sa mbliain 1955.

Seachtain tar éis shochraid Bhláithín chuas féin siar go dtí Claiseacha an Dúna agus chuireas spric mhór ina seasamh san áit ar scaipeadh an luaith. Tá an spric fós ann, ach d'imigh an luaith tríd an dtalamh síos. Sin í sochraid Bhláithín anois agat. Ní raibh aoinne ina shochraid ach Blascaodaigh ar fad. Deirimse leat go bhfuil aoibhneas agus radharc aige ó Chlaiseacha an Dúna agus féadfaidh sé teacht aniar go dtí an reilig atá san Oileán más maith leis é, beannacht Dé lena anam.

29

Tuar Deireadh Ré

SA MBLIAIN 1952 chuaigh naomhóg ón Oileán go Dún Chuinn le hiasc spiléir a bhí marbh acu an lá roimis sin. Bhí an lá go breá agus na cheithre mhíle d'fharraige ina báintéir agus go calma. Ní fada bhíodar ag an gcaladh i nDún Chuinn san am is gur tháinig beirt stróinséirí chuchu agus labhradar leis na hOileánaigh agus dúradar leo gurbh ainnis an áit a bhíodar ag maireachtaint agus an domhan chomh fairsing. Dúirt na hOileánaigh nárbh ainnis, mar ná raibh aon bheann acu fhéin ar aoinne agus go raibh daoine ag maireachtaint san Oileán le cuimhne na gcat agus formad ag's na daoine lasmuigh leo.

'Cén méid duine atá san Oileán anois?' arsa an stróinséir leo.

'Tá timpeall fiche duine, críonna agus óg,' arsa fear an Oileáin. 'Bhí cheithre chéad duine tamall den saol ann agus dheineadar amach ná raibh aoinne eile ar an saol ach iad fhéin.'

'Canathaobh nár fhanadar ann?' arsa an stróinséir.

'Níor fhanadar,' arsa fear an Oileáin, 'mar theip an t-iascach orthu agus chaitheadar tabhairt fés na dúthaí lasmuigh, ach tháinig an bás go dtí's na daoine críonna agus níl san Oileán anois ach dosaen de dhaoine óga agus tá an ghruaig ag bánú orthusan leis. Caithfear teitheadh as an Oileán mar tá na mná go léir imithe agus tá deireadh le pósadh.'

'Ar mhaith libh teacht go Dún Chuinn?' arsa an stróinséir.

'Ba mhaith,' arsa na hOileánaigh, 'ach ní maith leis na daoine críonna teacht ann. Deir siad gurb iad fhéin a choimeád ina mbeathaidh muintir Dhún Chuinn sa tseanshaol agus gur tairne ina mbosca fhéin dul go Dún Chuinn—nár ghrádar riamh é agus an áit ná gráfair, tabhair droim láimhe leis.'

'Sea,' arsa na stróinséirí, 'féacham isteach sa scéal níos fearr,' agus d'imíodar. Tháinig na hOileánaigh abhaile agus gan aon chuimhneamh mór acu ar na stróinséirí. Thángadar go dtí tigh Phaidí ó Cearnaigh an oíche sin agus a scéal féin ag gach aoinne acu. Dúirt Seán Beag gur tháinig beirt stróinséirí chuchu agus go ndúradar leo go n-aistróidís amach go Dún Chuinn iad mar nárbh aon áit dóibh an tOileán as so amach. Bhí an tseanbhean sa chúinne ag éisteacht agus ba gheall báis léi é. B'fhonn léi an tine dhearg a chaitheamh air mar ghabh an scéal gránna siar agus aniar trína croí. Bheir SeanPhaidí ar an dtlú agus dúirt sé leo an tigh amach a fhágaint lena gcuid scéalta gan dealramh. Mura b'ait an rud a bhí dulta ina

gceann a bheith ag cuimhneamh ar Dhún Chuinn, áit a
gcaillfí leis an ocras iad.

'Ní mar sin don áit ina bhfuil sibh. Tá fód móna agaibh
agus tarrac ar anlann ó mhuir agus tír. Má chloisim an
scéal gránna san aon oíche eile agaibh, raghaidh an bolta
go daingean ar an ndoras.'

'Bíodh béal múinte agat,' arsa an mac leis, 'caithfir dul
go Dún Chuinn mar ná fanfaidh aoinne i do theannta
anso.'

'Éist do bhéal,' arsa an t-athair, 'agus lig dom mo ghal a
ól sara gcognód cos na pípe. Is dócha gur soir go tigh na
ngealt a chuirfir mé má leanann tú den bhfuadar atá
chughat. Tá teaspach ort más ag cuimhneamh ar an
oileán so a fhágaint atánn tú. Ba mhaith an fear mise agus
chaitheas mo shaol ann go sásta. Má bhí lá cruaidh féin
agam bhí lá bog ina theannta agus níor chuas a chodladh
riamh i mo throscadh, mar bhí bean mhaith in aon tigh
liom agus fonn chun an tsaoil uirthi, rud ná fuil ortsa ná
ar do leithéid eile. Ach táimid críonna anois, ach dá
mbeadh leigheas againn air ní bheimis. Caithfidh an t-aos
a chuid féin a fháil.'

'Agus cad a dhéanfadsa nuair a thiocfaidh an t-aos
orm?' arsa an mac. 'Ní bheidh aoinne laistiar díom ach an
saol agus an aimsir. Agus mura mbeadh mise bheith
laistiar díbhse cad a dhéanfadh sibh?'

'Ní bheifeá mar sin,' arsa an t-athair, 'dá mbéarfá ar
chois ar bhean éigin tá deich mbliana ó shin. Bheadh
seans agat ar duine éigin a bheith laistiar díot, ach anois
tánn tú i do bhanbh aonair agus ní hé Dún Chuinn a
dhéanfaidh banbh dúbailte dhíot.'

'Sea, a gharsúna,' arsa SeanPhaidí, 'tá sé chomh maith
againn dul ag imirt chártaí tamall den oíche. Is dócha
gurb í an bhliain dhéanach againn í ag imirt i dteannta a
chéile. Beidh scaipeadh na mionéan orainn agus sin é
deireadh againn le spórt agus cuairteoirí.'

*Bhain scríbhinn an leabhair seo duais i
gComórtas Cuimhneacháin Dhonncha uí Laoire
in Oireachtas na bliana 1972*

Pól Funge a dhear an clúdach

*arna chló do
Sháirséal agus Dill Teoranta
ag Dill agus Sáirséal Teoranta
ó scannánchló a rinne
Na Clódóirí Eorpacha
Baile Átha Cliath*